JN039606

文学の環境を探る

野田研一・赤坂憲雄 編

玉川大学出版部

文学の環境を探る

目次

Ⅰ部●対談

「環境人文学」とは

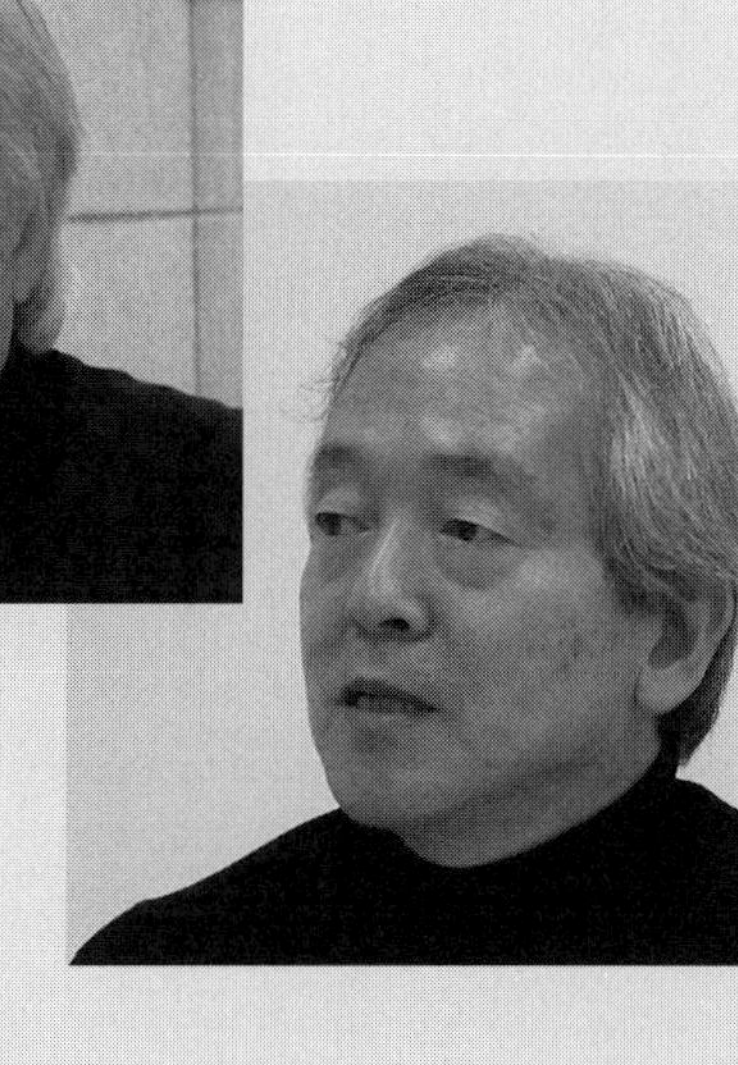

野田研一×赤坂憲雄

「環境人文学」とは

赤坂　玉川大学出版部で「フィールド科学の入口」というタイトルで、七冊出しています。これからの知とか学問にとって、フィールドとか現場がとても大事になると考えています。ただフィールドといいましても、人それぞれの学問領域によってちがうものだと思います。実際、これまでとりあげてきたなかでも、既存のフィールドとして存在する研究分野がありますが、たとえば海底ふかく数千メートルの海のなかのフィールドがあり、テクノロジーの進展によって生みだされたあたらしいフィールドもあります。フィールドとは何かということをつねに問いかけながらつくってきたシリーズです。そして今回、野田研一さんにお願いしたいのは、この一〇年、二〇年ずっと野田さんがなさってきた環境と文学、あるいはネイチャーライティングといったあたらしい知の領域にとても刺激をいただいたからです。わたし自身、やっていることに焦点がしだいに合ってくると、野田さんの周辺でこういう動きがあったんだ、ということにあとから気づかされた気がしています。立教大学に招いていただいたことがありました。

野田　「宮沢賢治を読み直す」というテーマでお話しいただきました。

赤坂　わたしは東北にどっぷり浸かっていたので東北のことを考えていて、その一端をみなさんのコンテクストとは関係なくしゃべっていたと思うけれど、焦点が合いはじめ「そうか」と思ったことはたくさんあります。『性食考』という本を書きました。正直にいうとあまり世間の文脈とは関係なかったんです。なぜ食べることと交わることが交錯

ネイチャーライティング
おもに自然を主題とする散文によるノンフィクション・エッセイをさす。用語としては、おおむね二〇世紀に入ってから英語圏で使用されるようになった。一九世紀まではnatural history essay（博物誌）と一般に呼ばれていた。自然体験にもとづく随筆と考えてよい。具体的には、動植物の観察記や旅行記、また、登山、ハイキング、田舎暮らし、釣り、狩猟、風景などを題材とする。

宮沢賢治を読み直す
二〇〇六年一一月に立教大学で開催された公開講演会「環境と文学のあいだ4　歴史への視点」をさす。赤坂（当時、東北工科大学教授）の講演タイトルは、

する場面があるのだろうかという懐疑が、たとえば震災を契機にしていっきに浮上してきたようでした。どこかでだれかが、つまり先行研究のようなかたちで書かれているのであればそれを読めば終わるけれども、さがしてもそこまでまっすぐにテーマにこたえている仕事が思いがけずすくないと感じました。それまでやってきた自分の仕事の文脈のなかで「食べること・交わること・殺すこと」といったテーマで書くことになりました。書きながらまわりを見まわすと膨大な研究の蓄積がその周辺にはあって、とてもこれぜんぶ勉強してから書くわけにはいかないとも感じました。神話や民話については学習院大学へいってから本格的にやりました。担当の授業のひとつが神話学だったものですから、本格的に読むようになりました。同時に日本語日本文学科に籍をおいたこともあって、文学にかたむいたところもあります。そのなかでこの本を書いたことは、ある意味、時代のなかで非常に多くのかたたちが関心を寄せているテーマに自分の角度からふれたな、という気がしています。ですから野田さんが中心になって大きな動きをつくられてきた「環境人文学」といっていいんですか。なんとお呼びすればよいでしょう。

野田　最近は「環境人文学」というコンセプトで人文系の学問を再編しようという動きがオーストラリア、アメリカ、あるいは北欧あたりから広がりつつあります。それが日本の研究者にもとどいてきて、人文学研究を環境に視点をおいて再編する動きになっています。

赤坂　それでは、「環境人文学」ということばできょうはまとめていいですか。そこにも知らずに接近していたと感じています。

野田　そうですね。むしろ、日本ではまだこれからのことかもしれないですけど。今回執

「宮沢賢治を読み直す」。神話化されがちな宮沢賢治による「不思議な笑いやグロテスクな道化ぶり」を示す作品を、「東北をくぐり抜けた目で読み直す」試みを提示した。

『性食考』
赤坂憲雄著、岩波書店、二〇一七年

環境人文学
文学、哲学、人類学、人文地理学、考古学、歴史学などの人文科学系諸分野を「環境」を基軸として学際的・領域横断的に再構築しようとする動き。人文学の「環境的転回」とも呼ばれる。くわしくは、奥野克巳、石倉敏明編『Lexicon 現代人類学』（以文社）所

筆依頼をしたかたのなかには文化人類学のかたも入っています。それは人文諸学の交点としての環境人文学を中心に意識しながら、たがいにことなる分野を見る異分野間のネットワークの所産だと思っています。その意味で環境人文学ということばを赤坂さんに出していただいてうれしいです。

赤坂　とてもさけがたい必然を感じます。文学研究でも、たとえば戦後文学なんかに表れている**動物の表象**みたいなものをとりあげるかなり本格的な研究が出ましたね。それを読んでとってもおもしろかった。表象の問題ですね。野田さんのやられている**「現存」の問題**との架け橋、距離のようなものをはからなければいけないと思うけれど、文学研究でそこまで動物モチーフが入りこんでくることはあまりなかったんじゃないかな、という気がします。

野田　アメリカ文学研究では波戸岡景太さんの『ピンチョンの動物園』（水声社）という労作があります。こういった研究ではすでに文学と動物論が交差しているわけですし、教育学者である矢野智司さんの『動物絵本をめぐる冒険　動物―人間学のレッスン』（勁草書房）などは動物論が、教育学を中心として、文学、哲学、人類学などと交錯しています。いずれも「環境人文学」的実践といえますね。もともと文学というのはきわめて「開かれた」雑多な言語テクストの世界ですから、形而上学も形而下学もいわば生の素材として提示されている世界だと思います。

赤坂　ですから、最初にもどるけれども、「環境人文学」という相互乗り入れ的なさまざまな知や学問が交錯する現場、つまりフィールドがいま、すこしずつ浮かびあがってきているのかなと感じます。きょうはそんな話をお願いします。

収の結城正美「環境人文学」、および野田研一、山本洋平、森田系太郎編『環境人文学II　他者としての自然』（勉誠出版）所収の結城正美「環境人文学の現在」を参照。

動物の表象
『動物の声、他者の声　日本戦後文学の倫理』村上克尚著、新曜社、二〇一七年

「現存」の問題
野田の諸論考では、基本的に自然をめぐる「表象」（representation）と「現存」（presence）のあいだの落差・葛藤・対立関係を主題化している。自然を描くこと、表現すること（表象）と現実の自然のありかた（現存）のあいだに横たわる差異に注目し、人間の自然観が往々にして人間中心主義的な「表象」の価値観にすぎないことを浮き彫りにする。

ネイチャーライティング

野田　環境人文学そのものがフィールドになるとおっしゃっていただいて視野が変わります。環境人文学の柱としての環境文学研究はエコクリティシズムといって一九九〇年代にはじまります。しかし文学研究の主流にはならないままずっときています。それはなぜかというと、文学は、ある時期までたとえば政治や社会とからむのをできるだけ排除して、文学固有の世界というものを考えたいと思っていた。本来、文学はいちばん夾雑物の多い世界で現実と非常にふかくかかわっているものだと思うのですが、文学研究の側ではとくにテクスト中心主義的な批評理論が強かった時代が続きましたね。政治と文学が安易にむすびつくとプロパガンダの文学に陥るように、「環境と文学」というむすびつきもややうさんくさいものというみかたがあったと思います。だからなかなか広がらなかったし浸透しなかったと思います。わたし自身も本来的には、文学には文学固有の世界があるという思いが強いものですから、じつのところ「政治と文学」みたいな問題にかかわりたくない、つまり文学の政治化には抵抗がある。世代的にもテクスト中心主義的傾向が強い文学理論とともに育ってきましたから。

ただし、同じように政治的・社会的な意味を強く帯びると思われるジェンダーや人種の問題などは基本的に人間の世界内の出来事ですが、環境と文学の問題が対象とするのは人間と人間ではないもの、人間外の世界とのあいだの出来事です。この点に同じく政治的・社会的といっても根本的なちがいがあります。それは人間中心主義的なもののみかたを相対化していく作業でもあります。

エコクリティシズム
もともとはecological criticismの略記。自然環境の問題に視座をおく文学研究の方法論一般をさす。一九九〇年代前半にアメリカで台頭してきた。人間中心主義批判および構築主義批判を基本とする。小谷一明、巴山岳人、結城正美、豊里真弓、喜納育江編『文学から環境を考える　エコクリティシズムガイドブック』（勉誠出版）の第4部　巴山岳人「3　エコクリティシズム」およびピーター・バリー、高橋和久監訳『文学理論講義　新しいスタンダード』（ミネルヴァ書房）の「第十三章　エコ批評」を参照。

赤坂さんの最近のお仕事ですが、『性食考』はショッキングでした。とくに性の問題を環境文学研究はまだ正面からあつかいえていません。「エロス的風景」といったかたちで風景論的に展開している作家もいます。環境思想一般が性の問題をあつかう場合はエコフェミニズム系のアプローチもあります。しかし、性の問題が環境系の問題域として対象化される可能性があるとすれば文学系がもっとも有力でしょうね。実際、赤坂さんが展開されているように、性の問題は自然性と幻想性が複雑にからまるところに成立するもので、自然にも幻想にも一元的には還元できない。その意味では、性の問題は自然と文化をめぐる人間的問題そのものだと思います。

いずれにせよ、狭義のエコクリティシズム研究とはべつのところで、それに呼応し、それを越えるようなさまざまな動きが出てきていることは強く感じます。動物の問題を戦後文学とのかかわりで考えることもそうですし、逆に近代以前の文学における人間と動物世界との交渉をとらえる「異類」をめぐる研究などもそうです。エコクリティシズムとは離れた領域からもエコクリティシズム的なすぐれた仕事が浮上してきています。赤坂さんの『性食考』も、従来「身体」といっていたものをちがうかたちで読み直すことをなさっている。それは環境という問題とのむすびつきだし、とくに「野生」ということがそこで強調されていることもわたしはとても斬新だと思っていました。その意味で、そうした環境人文学的な動きがすこしずつあって、文化人類学や歴史学、哲学や教育学にもうかがえる。たとえば今村仁司さんの社会思想史的な仕事にもそうした迫力を感じます。その意味では環境人文学は一枚岩の環境思想のイデオロギーではなくて、「人間と自然の関係の学」としてはば広く見ていけたらと思っています。

「異類」をめぐる研究
猪股ときわ著『異類に成る 歌・舞・遊びの古事記』森話社、二〇一六年

今村仁司さんの社会思想史的な仕事
今村仁司著『交易する人間 贈与と交換の人間学』講談社、二〇〇〇年

もうひとつ重要な視座は、ネイチャーライティングというジャンルの存在です。エコクリティシズムのアメリカにおける研究の出発点がこのジャンルです。ネイチャーライティングは自然を主題とするノンフィクションエッセイです。エッセイというジャンルは文学史にあってはたいてい傍流です。しかし、アメリカでこのネイチャーライティングというジャンルを研究対象にする人たちが出てきます。時代的には地球環境問題が注目されるようになる一九九〇年代はじめあるいは八〇年代の終わりころです。ノンフィクションエッセイのネイチャーライティングというジャンルがアメリカにはあって、これがいわば自然と人間についての経験にもとづく文学として非常に重要な研究対象なのではないか、フィクションとはちがう意味をもつのではないか、というふうに考えられて、じょじょに研究がすすんできました。それが環境に視点をおいた文学研究が本格的に出てくる大きなきっかけになったと考えられます。

ネイチャーライティングというジャンルの重要性を考えると、わたしは日本文学にも適用されていいと思う。近代文学史は小説中心主義になっているのではないかという思いもあります。ノンフィクションで『山と渓谷』などアウトドア系の雑誌とか、あるいは新聞の片すみにちょっと書かれている自然体験エッセイみたいなものは、著名作家のものをのぞけば、だれも記憶していない。読み捨てになっているのではないかとさえ思われます。しかし、こういう作品にこそダイレクトな自然経験の世界が描かれている。また、フィクションとノンフィクションの差異は何かという問題にもかかわっています。その意味で、日本でもネイチャーライティングというジャンルがほりおこされるといいなと思っています。アメリカは歴史が短いせいもあり、だいたい九〇年代の終わりくら

『山と渓谷』
山と渓谷社が月刊発行している登山・山岳専門誌。

いに、自国のネイチャーライティングの歴史というものを整理してしまいました。日本はまるで手がつかないままです。だれかやってくれないか、日本文学の人がやってくれないかなと思いつつ、なかなかだれもやってくれないなと思っていました。最近やっと日本文学研究者との連携がふかまって、「日本環境文学史」みたいなものをやりましょうか、という話がすすんでいます。とても時間のかかる話なんですけれど、できる範囲ですこしずつ手がけていきたい。近代だけでもひと筋縄ではいかない。既存の有名な作家たちが書いたエッセイは見つかるかもしれないけど、もっと無名の人たちでネイチャーライティングをものした人たちもたくさんいるだろうと推測します。そういう視点で文学史的な整理をはじめているところです。こうして、多様な文化圏のなかのネイチャーライティング研究がすすむとおもしろいと思います。

赤坂　野田さんが『越境するトポス』の最初に書かれた「山犬をめぐる冒険　藤原新也における野生の表象」というテクストでは、藤原新也さんが思いがけぬかたちで論じられていました。『東京漂流』と『乳の海』ですね。

野田　はい、そうですね。

赤坂　それをネイチャーライティングの視点から読むということをされていて、とても刺激的な研究だと思いました。いわゆる動物文学とか自然をテーマとしたエッセイとかではない、まったくちがうところからある時代を背負うような動物の表象が、たとえば藤原さんの本のなかに描かれている。それを浮き彫りにしている。しかもそれが犬ですよね。犬が、すごくちかいペットのようなところから、野犬、さらに野生の山犬へと連なっていく。そういう論述がとても刺激的で、ネイチャーライティングと聞くと自然愛好

『越境するトポス　環境文学論序説』
野田研一・結城正美編、彩流社、二〇〇四年

藤原新也
作家、写真家。一九四四（昭和一九）年、福岡県生まれ。

『東京漂流』
藤原新也著、情報センター出版局、一九八三年

『乳の海』
藤原新也著、情報センター出版局、一九八六年

者たちのエッセイとかに限定されるのかと思いきや、まったくそうではない。そういう視点で近代の小説や文学をながめていくと、たとえば国木田独歩の『武蔵野』だってネイチャーライティングといった視点から読み直すことがきっとできるだろうし、あるいはわたしは紀行文学がすごく気になっていまして、紀行文学を読んでいると、まさにネイチャーライティング的な視点での読みが必要になるんだろうな、と感じます。若山牧水の『みなかみ紀行』がわたしは大好きで「なぜみなかみへと人は向かうのか」といったことをたどっていくうちに、逆にこんどはみなかみから下りてくる小説があります。じつは佐伯一麦さんとは対談したことがあって直接お聞きしましたが、佐伯さんの『川筋物語』はドイツかどこかで書いているんです。実際にフィールドを歩きながら書いているのではなくて、ある種の回想ですけれど、みなかみの源流から河口まで下りてくるとても秀逸な作品だと思います。自然という何か型どおりの切りとりかたでは見えてこないものが、まちがいなく文学、小説のなかにもさまざまなかたちで描かれていることを確認できるような気がしました。

野田　独歩の『武蔵野』をネイチャーライティングの視点から読み直すことは、日本の近代文学成立の問題とも重なりますから必須ですね。言及していただいた「山犬をめぐる冒険」という論考は、藤原新也さんの『東京漂流』と『乳の海』が一連の作品であり、どちらも犬の物語を潜在させた作品だと気がついたことから書いたものです。ベストセラーでしたし、おもしろい作品だとは思っていたんですが、読んだ当初の八〇年代にはそれが犬の物語だとは気づいていませんでした。たしか九〇年代に入って、「現代日本のネイチャーライティング」でおもしろい作品はあるだろうか、学生といっしょに読ん

乳の海
藤原新也

国木田独歩
詩人、小説家。一八七一（明治四）―一九〇八（明治四一）。千葉県生まれ。日本近代文学のパイオニア的作家。おもな作品に「武蔵野」、「忘れ得ぬ人々」、「源おぢ」、「空知川の岸辺」、「牛肉と馬鈴薯」、「運命論者」などがある。

『武蔵野』
一八九八（明治三一）年に発表された国木田独歩の代表作（民友社、一九〇一年）

提供：日本近代文学館

で手応えのある作品はあるだろうかとさがしはじめたところです。『東京漂流』は「有明フェリータ」という野犬が登場する物語だったことを思いだし、読み直しました。そうしますと、この本ではきわめて潜在的ではありますが、持続的なかたちで犬の物語が語られているということ、さらにその犬の表象が野生の問題にふかくかかわっていることを発見したわけです。「東京最後の野犬」をめぐるエッセイですね。

ネイチャーライティングというのを狭義のジャンルとして限定的に考えていくと、こういうことは逆に発見できなくなってしまう。むしろ多様な作品を読みこんでいったうえで、これもネイチャーライティングだというふうに発見する必要がある。たんにジャンルを形式的にとらえただけではゆたかさを欠く、という印象を藤原さんを再読した時に痛感しました。

紀行文学というジャンルもとても重要で、ネイチャーライティングというジャンルの上位に紀行文学があるのではないかと想定しています。わたしが立てている仮説なのですが、小説というジャンルと旅行記（トラベルライティング）のジャンル、それからネイチャーライティング。この三つのジャンルの関係を解明する必要があるとずっと考えてきました。近代小説はイギリスで一八世紀から本格的にはじまったとされています。小説以前の読みものというのはどちらかというと旅行記や博物学、そして歴史書の類です。とくにルネサンス以降は世界旅行をふくむ旅行記の隆盛を見た時代だと思われます。その下地があって小説というジャンルが登場した可能性を考えています。

そのトラベルの体験のなかから自然を観察するとか、自然体験そのものを語るジャンルも出てきたのではないか。トラベルライティング、日本的にいえば紀行文、これがいち

若山牧水
歌人。一八八五（明治一八）―一九二八（昭和三）。宮崎県生まれ。おもな歌集に第一歌集『海の声』をはじめとして第一四歌集『山桜の歌』。そのほか『和歌講話』、紀行文集『静かなる旅をゆきつつ』、随筆集『樹木とその葉』などがある。

『みなかみ紀行』
若山牧水による紀行。一九二四（大正一三）年刊。（『新編みなかみ紀行』、岩波文庫、二〇〇二年）

佐伯一麦
小説家。一九五九（昭和三四）年、宮城県生まれ。おもな作品に『ショートサーキット』、『鉄塔家族』、『ノ

ばん上位の概念で、その下に「小説」というジャンルと「自然」に特化したネイチャーライティングというジャンルが派生しているのではないかと考えています。実際、日本近代のネイチャーライティングをさがそうとすると、紀行文的なものが多いですし、それ以前、江戸期も紀行文の世界であるのかもしれない。

紀行文の基本は旅ですから、「移動の文学」つまり「動く」ということだというふうに思うんですね。トラベルということばも「旅」つまり「移動」をさしています。この三つのジャンルはそれぞれ「移動」を根底においた文学なのではないか。そういう観点から、トラベルライティング、小説およびネイチャーライティングの相関関係を検討してみたいという構想をいだいています。小説は基本的に人が移動することによってなりたつ文学ではないかと考えます。つまり移動が継起的・連続的な物語＝筋道（ストーリーライン）を駆動する。だれかがだれかに会いにいくとか、あるいはだれかが歩いているとどこかで偶然出会うとか、そういう動きもトラベルだと考えたい。もちろん通信手段が変わってきて手紙から電話やスマートフォンになる、そういう変化はあるかもしれませんが、基本は移動＝トラベルが創りだす物語です。小説のなかにも紀行文の基本形がのこっている。そんなことを思います。いま、紀行文が重要なのではないかとおっしゃったことが刺激的です。

マージナルな位置

赤坂　そういうみかたはしていなかったのですが、紀行文学にせよ小説文学にせよ移動＝

ルゲNorge』、『還れぬ家』、『渡良瀬』などがある。

『川筋物語』 佐伯一麦著、朝日新聞社、一九九九年

有明フェリータ 藤原新也著『東京漂流』に登場する「東京最後の野犬」に著者がつけた名前。「フェリータ」はフェリーターミナルの略。

ジャンル 芸術、とくに文学における形態などにもとづく分類を定義するアプローチ。詩、散文、戯曲、悲劇、喜劇、フィクション、ノンフィクション、探偵小説、SFといったさまざまな分類がある。

トラベルが創りだす物語としてながめてみると、広大な研究領域が浮かびあがりますね。ところが、近代の文学の概念のなかでは、動物文学とか旅の文学は、どこかマージナルな存在ですね。物語っていうことばが出てきたんですけど、とても乱暴ないいかたをすると、わたしは物語には二種類しかないというふうに学生たちに語るんです。それはある共同体があって、そこに外から何者かがおとずれてくる。その異界・異郷性をもったストレンジャーをむかえる、それがひとつの物語だと。もうひとつはこの共同体をあとにして、よその異郷・異界をおとずれて帰ってくる、そういう物語。二種類しかないっていうふうにわたしはいってきました。すべて移動なんです。移動をきっかけとして、契機として物語が転がりはじめる。おそらく小説の原型も物語というものを引きずっていると思います。そういう意味で見直すと、あたりまえに移動というテーマをかかえこんでいるように見えますね。転校生が入ってくると何かがはじまるとか。橋のむこうに渡っていくと何かがはじまる。宮崎駿さんのアニメは典型的にそのどちらか、あるいはそのふたつのくみあわせになっているってことを最近、中国の学生たちにしゃべりながら授業をしてきました。

野田　それもまた興味ぶかいですね。物語の根底に移動があるわけですね。

赤坂　でもほんとうにマージナルな場所に押しこめられてきた旅や動物といったものがいま、あふれだしている。それはあまりにも日本の近代文学が人間中心主義であり、それをまったく自覚していない。自然主義なんかそうだと思う。人間のかくされた心とかね。そういうものをむきだしにすることが人間の真実に近づいていく道・方法であるみたいな思いこみがずっとあったと思います。でも環境人文学の周辺で、しだいにおこりつつ

マージナル
周縁的という意味。中心ではなく外側に位置していることをさし、排除あるいは疎外の状態を示す。

宮崎駿
一九四一（昭和一六）年、東京都生まれ。映画監督、アニメーション制作者。おもな作品に、『風の谷のナウシカ』、『となりのトトロ』、『千と千尋の神隠し』など。

ある動きをながめていると、どなたがいわれたのか忘れましたが、人間が人間であるということは、そのかたわらに動物がいる。動物と自分を分節化するというのでしょうか、差別化するところではじめて人間が人間として浮かびあがり浮き彫りになる。そういう議論を読んでいると、そうだよな、人間が「我思う、ゆえに我あり」っていう自己意識をもつようになったのはものすごくあたらしいことだなあと思います。そうではなくて人間は動物であったり異族であったり、何か見えない異界からのおとずれ人であったり、そういうものとの対応関係、関係性のなかで自分とは何か、人間とは何かという問いをずっと考えてきたはずなんですよね。ところが、いつのまにか人間が人間であることの意味というか、さけがたさみたいなものよりも、自分のなかにかくされた何か欲望や無意識といったものを書けば小説になるみたいな、極端に人間中心主義的な場所に自閉していったゆえに見えなくなったものがたくさんあるんじゃないか、それが見えてきた。環境文学の名のもとに、見えてきたなっていうワクワクした感じがありますね。

野田　近代文学のなかで見いだされていったかくされた内面とか、もうひとつの自分みたいな問題、たぶんそれは精神分析学みたいな学問がつくりだした人間観あるいは心というものの問題なのだと思います。平たくいうと二重人格的問題。一九世紀の小説に出てくる「ジキルとハイド」みたいなね。「なぜ動物を観るのか？」というおもしろい論考を書いたジョン・バージャーという美術批評家は、「デカルトは人間と動物の関係に内在している二元論を人間のなかに採り入れた」という指摘しています。これは近代文学における変身譚や二重人格的物語が、心理主義的な装いを帯びた自然論だということです。その結果、近代文学的な表現世界では「内なる獣性」といった強迫心理となって表

「ジキルとハイド」
一八八六年に出版されたロバート・ルイス・スティーブンソンによる小説。『ジーキル博士とハイド氏』海保眞夫訳、岩波文庫、一九九四年

出したりするのではないでしょうか。ハイド氏は人間のなかに潜在する野生の部分の象徴といってもいい。だから内面を見つめているようで、じつは自然の問題を考えている、そういう物語だと思います。

当然、獣性と人間性のあいだの変身物語ですから人狼譚などにもかかわってきます。そういう意味で近代文学が強調してきた自我や内面といった問題意識は、人間中心主義的な方向への観念的偏向かもしれません。そこでは、社会的な関係のなかでの人間しか見えなくなってしまいます。その意味で変身ほど自然と文化をめぐるおもしろい主題はありませんね。なぜなら変身譚には人間の外部が厳然と存在するからです。『性食考』のなかであつかっておられますが、個の内面の深みにむきあった時に、擬制としての「わたし」が脱落していき、自分のなかの野生問題、たとえば獣性の問題にふれていく。そういうしくみが見えてくるのではないでしょうか。自然というのは外にも内にもある。そして「人間とは何か」を照明する不思議な装置のような気がします。

赤坂　たしかに柄谷行人さんが『日本近代文学の起源』という本で国木田独歩を読み解き、風景の発見と内面の発見は重なっているという。そうなのかもしれないと思いながら、逆にそこに不幸を感じてしまうところがあります。内面こそが風景を殺したのかもしれません。でもわれわれにはそもそも内面なんてなかった。キリスト教的な世界観がかぶさることで、告白すべき内面がわれわれのなかにもあるという思いこみを背負わされた。柄谷さんはみごとにそこをつかみだされていました。そういう内面に思いをはせると、なんだか田山花袋の『蒲団』を思いだして気持ちが萎えてしまう。そんなものどうでもいいよなっていう感覚ですね。そんなに内面って大事なのか。われわれの内面幻

柄谷行人
一九四一（昭和一六）年、兵庫県生まれ。文芸評論家。おもな著作に、『マルクス　その可能性の中心』、『日本近代文学の起源』など。

『日本近代文学の起源』
柄谷行人著、講談社、一九八〇年

田山花袋
小説家。一八七二（明治四）―一九三〇（昭和五）。群馬県生まれ。自然主義文学の担い手として活躍。おもな作品に『重右衛門の最期』、『田舎教師』、『東京震災記』などがある。

『蒲団』
一九〇七年に発表された田山花袋の中編小説。

想がいま劇的に壊れはじめましたね。

内面幻想

赤坂　インターネットの世界でかくされていた内面があられもなく露出しはじめたじゃないですか。だから自然主義文学なんかが、なんかごたいそうなものであるかのように一生懸命大事にあつかってきた内面が色あせるんですね。いまこの世界で氾濫している内面とか無意識とか欲望はしょうもないもので、それこそ人間の本質であるといわれたらわれわれの未来はないよ、と思うような氾濫のしかた。だから内面幻想がくずれていく時代のなかで、逆に内面というものが抑圧してきた風景とか動物との関係とか、環境や自然との関係とかいったものが、むきだしになってきたのでしょうか。

野田　内面幻想ということばは的確なことばですね。同感です。インターネットの世界は結局、括弧つきの「本音」つまり「内面」なるものを解放してしまったんだと思います。「本音」なんてそんな大したことでもないのに、ごたいそうに解放してしまった結果は悲惨なものです。「本音」や「内面」などというのはずいぶん貧寒たるものだという事実がインターネットのおかげで逆に見えてきたというふうにもいえます。ようは「内面幻想」というのが崩壊していく。もう意味がないということがわかった。そういう事態をわれわれが目撃しているのだと思います。ところで藤原新也さんの野犬の話に関連しますが、赤坂さんは国木田独歩の『武蔵野』に登場する犬が気になってしょうがないと書いておられました。わたしは、『武蔵野』に犬が登場するなんて気がつかなかった。

それこそ藤原新也の話とどこかからむとおもしろいなと思いました。

赤坂　野田さんが準備された対談のメモには「わたしたちは狼について語りえるか」ということばがありました。たぶん、犬について語るっていう時に、ようやくわれわれはもっとも長い時間、人間の同伴者であった犬という存在にあらたな関心をもちはじめたということを感じます。それと同時に野田さんは野生の問題として考えるように示唆されていますね。柳田國男という人は狼のゆくえにものすごく関心をもって目をこらしていたんです。三浦佑之さんというわたしの友人の国文学者によると、山人のゆくえと狼のゆくえというのは重なっている。柳田がその消息を追いかけていた山人はある挫折のなかで放棄されるんですけれども、その代替物のように狼のゆくえに目をこらしはじめる。そういうところに柳田における野生の問題というのが見えかくれしているのかもしれない。

柳田が、山からの呼び声といったものに耳をかたむけようとする、その山というのはあきらかに野生なんだと思いますね。近代の人間たちが関係を遮断していこうとしている野生というものがどのようにわれわれ自身のなかに残存しうるか。そして、それが変わっていくのか、という問題をたぶん最後まで柳田は手放さなかったと思いますね。とても人間中心主義的な人だと思うんですけれども、それにもかかわらず最後まで狼のゆくえに目をこらしていた。その狼についてどういうふうに考えればいいのかといった問いは、その藤原新也さんについて論じた野田さんの論考ともつながりますね。そうした考えることをさけていたというか、考える必要がないと感じてきたテーマとか問いがじつはものすごく魅力的なかたちで見えてきている。またいろんな読み直しをはじめなくて

柳田國男
日本民俗学の創始者、作家。一八七五（明治八）—一九六二（昭和三七）。兵庫県生まれ。国内を旅して、日本の風俗や伝説、民話を調査。目に見えない日本人の精神性を追求し、日本の民俗学を確立。代表的な著書『遠野物語』は、岩手の農村のゆたかな伝承を収録している。ほかの著作に、『蝸牛考』、『桃太郎の誕生』、『妹の力』、『海上の道』などがある。

三浦佑之
日本文学研究者。千葉大学名誉教授。一九四六（昭和二一）年、三重県生まれ。おもな著作に『村落伝承論』、『口語訳　古事記　完全版』、『日本霊異記の世界』、『風土記の世界』、『出雲神話論』などがある。

はいけないというふうに感じますね。

野田　柳田國男の「山人考」などかつておもしろく読みましたが、狼との連関は考えたことがありませんでした。うかつでした。

赤坂　いま手元にないですけど、三浦佑之さんがどこかで論じていました。

野田　そうですか、三浦さんの論考は知らなかった。

赤坂　野生をかかえこんだ獣たちとの遭遇をわれわれは、たとえば祭りのなかでほそぼそと保ちつづけていますね。九州の銀鏡神楽（しろみかぐら）ではいまでも祭りのまえに猪を狩りでとってきて、その血まみれの首にかこまれて神楽を演じています。そういう民俗のフィールドにつながっていった時にいろんなものが見えてくる気がします。

野田　狼といえば宮崎駿さんの『もののけ姫』が山犬の物語でしたね。なぜ宮崎さんが山犬を中心的な動物としてあつかったのかも大変興味ぶかいです。藤原新也さんの場合はあきらかにニホンオオカミが絶滅したという歴史を前提にしていて、『東京漂流』で最後の野犬という問題を提示していますので、そこには歴史的な意識にもとづく山犬＝オオカミ論が展開されているのだと思います。それから一〇年以上たったところで『もののけ姫』が出てくる。山犬の「山」というのは「ワイルド」の意味ではないでしょうか。文字どおりのマウンテンではなくて。山犬というのは山に棲む犬という意味ではない。基本的に日本語の「山」は野生の意、つまり人為のとどかない領域という意味だと思います。それに、こうした野生の問題をちゃんとふまえた映画は『もののけ姫』が画期的ではないかと思います。『もののけ姫』という物語そのものが「日本の自然観」とわれわれが思っているものを徹底的に相対化するような物語になっているわけですね。その

「山人考」
柳田國男著『山の人生』に収録。『遠野物語・山の人生』、岩波書店、一九七六年

三浦さんの論考
「オオカミはいかに論じられたか　柳田国男の思考回路」（『現代思想　総特集柳田國男』青土社、二〇一二年一〇月、所収）

銀鏡神楽
宮崎県西都市銀鏡では、銀鏡神社大祭が一二月一二日から一六日にかけておこなわれ、一四日から一五日にかけて三三番の神楽が演じられる。猪の頭が献じられ、狩猟にかかわりのふかい演目や神事があることで知られる。

『もののけ姫』
スタジオジブリ制作の長編アニメーション映画（一九九七年）。監督は宮崎駿。

相対化する契機が野生という視点。『もののけ姫』では、野生を抑圧したあとの自然をわれわれは「自然」と見ているが、それでいいのかという問い直しが非常に大きなスケールで表現されていると思いますね。そこでオオカミが重要な役割を果たしている。柳田國男をふくめ、思いがけず底流としてずっと続いている日本におけるオオカミの物語をたどりなおすのはおもしろいでしょうね。

赤坂　いまのお話で、山犬の「山」がワイルドだと。われわれのことばとしての「野（の）」とか「野（や）」はたぶんイコール「ワイルド」ではない。野生っていうふうにだれが日本語をつくったのかわかりませんが、「野（や・の）」はたぶん里山的な里にちかい人間が手を加えた「自然」なんだろうと思います。だから古代から野遊びは郊外なんです。郊外としての「野」をどういうふうに考えるのか。たとえば独歩の『武蔵野』では「野」というのは畑ですね。野生といった距離はない。われわれがとても漠然と「自然」ということばでくくれると思ってきたものはじつはきわめて多様です。ですから野田さんもどこかで書かれていましたが、柳田とか**宮本常一**によって「つくられた自然」とくりかえし語られてきたわけですね。つまり原生的な自然ではない、人間の暮らしや生業にかかわりがふかい。ある意味で手なずけられた自然であり、たとえば『武蔵野』の自然とされているものは、まさに宮本常一がいうようにすべてつくられた風景であり環境である。といったことが思いだされ「野」と「野生」がどういうふうに交差するのかといったテーマで考えたらおもしろいだろうなと思いました。

宮本常一
フィールドワークに徹した民俗学者、作家。一九〇七（明治四〇）－一九八一（昭和五六）。山口県生まれ。アチックミューゼアムの所員として全国を歩き、のちに武蔵野美術大学教授を務めた。日本観光文化研究所、日本民具学会設立などにより、後進の指導にも成果をあげた。おもな著作に『私の日本地図』全一五巻、『日本民衆史』全七巻、『宮本常一著作集』、『忘れられた日本人』、『庶民の発見』、『絵巻物に見る日本庶民生活誌』、『日本文化の形成』、『塩の道』などがある。

風景は自然か

野田　そうですね。風景論などでも「ランドスケープ」(landscape) ということばはどうしても「自然」というものに傾斜しがちな概念ですけれども、ランドスケープという英語そのものには自然それ自体という意味はあまりなくて、人間の営為と自然とのあいだにかわされる営み、その複合体を「風景」と呼ぶんだというアメリカの地理学者の有力な見解があります。この指摘がアメリカの地理学者によるという点がおもしろいです。アメリカでは「風景」を自然、さらにはウィルダネスととらえやすい傾向があるからです。風景を自然だと思ったらまちがいだということですね。混同しやすいけれども、風景というのは「ネイチャー」とは根本的にことなる。ランドスケープはあくまでも人為と自然がいわば合体したもののようです。われわれも風景という概念を自然と同一視しがちです。

赤坂　メモのなかに太宰治の『津軽』がありましたが、『津軽』のなかでの竜飛岬の手前あたりの荒涼とした風景を前にした時の太宰の描写ってとてもおもしろいです。

野田　ほんとうにおもしろい。赤坂さんの『武蔵野をよむ』の原型である『図書』での連載時には引用なさっていましたね。わたしはそちらを先に読んでいましたからおぼえているのですが。

赤坂　太宰は書いていました。風景というのは、「永い年月、いろんな人から眺められ形容せられ、謂わば、人間の眼で眺められて軟化し、人間に飼われてなついてしまって、……人くさい匂いが幽かに感ぜられる」(引用) ものだ、と。しかし、この本州北

太宰治
小説家。一九〇九 (明治四二) —一九四八 (昭和二三)。青森県生まれ。おもな作品に『人間失格』、『晩年』、『斜陽』など。

『津軽』
一九四四年に刊行された、故郷津軽半島への紀行エッセイ集 (小山書店、一九四四年)

提供:日本近代文学館

引用
『津軽』新潮文庫、一九八九年、96ページ

端の人手が加えられていない海岸は、「てんで、風景にも何も、なってやしない」（引用）、そう太宰は感じたんですね。

野田　うなずきながら読んでいました。わたしもちょうど同じようなところを論じたことがありました。太宰治の『津軽』にはいろいろおもしろさがあります。まずジャンル的には紀行文学ですね。そして内容的には完全に風景批判をやっています。柄谷行人さんの用語に「風景以前」というものがあります。そもそも風景がなければ存在しえない概念が「風景以前」だと柄谷さんはおっしゃっています。この「風景以前」という概念を下敷きにして考えると、太宰が『津軽』で考えていたのは「風景以前」の世界ではないか。それに出会ってしまった衝撃がとてもおもしろいところで、定型化した風景とそれを逸脱した「野生」の風景つまり「風景以前」の世界。「野生」への恐怖感さえ表現している。そういったことをわたしは「風景以前」という概念を使って論じたことがあります。そのときになぜ太宰は『津軽』という作品でそんな「風景以前」などという感覚を書いたのだろうということです。『津軽』が刊行されたのは一九四四年ですね。

赤坂　そうですね、敗戦のまえ。

野田　敗戦の一年まえですね。当時の政治状況から考えれば、そういう紀行文しか書けなかったのかもしれません。とはいえ内容的にはけっこうおどろくべきものがある。津軽という土地は太宰の故郷ですね。それは本州最北端で、当時の日本のなかでも辺境です。太宰のなかでも自分の故郷は辺境だという意識があったにちがいありません。この辺境の「野生」の風景に似つかわしいのは「白いアッシを着たアイヌの老人」くらいだろうという科白（せりふ）さえあります。そういう意味で『津軽』という作品は風景論もしくは自然論

同じようなところを論じた　『津軽』にかんする野田の論考。野田研一「〈風景以前〉の発見、もしくは「人間化」と「世界化」」（『失われるのは、ぼくらのほうだ　自然・沈黙・他者』、水声社、二〇一六年、所収）

としてラディカルな側面を示していて、しかも一九四四年の戦中にあって、社会の雰囲気がいやおうなく戦争のただなかにある雰囲気のなかで、いってみれば地方に視点をおいた中央批判、あるいは日本文化批判を遂行している面があります。赤坂さんの手がけてこられた東北学の視点ですね。

赤坂　ほんとうに不思議なテクストですね。あれを、たけとの出会いの物語のなかに人間くさくみんな読むんですかね。ほんとうに荒々しい、「てんで、風景にも何も、なってやしない」といった表現で太宰が『津軽』のなかで描いているのは、目の前にある風景がまったく人間くさい表情になっていない、人手が加えられていない、そういう「野生」です。野生的な自然が転がっている。それは風景以前だって太宰が書いている。つまり太宰がここでむかいあっていたのは野生なんだと思いますね。そういうことをこちらに考えさせるテクストが『津軽』の名のもとに投げ出されてある。これもまさにネイチャーライティングといった視点から読み直せる。

野田　まさしく。これは、日本近代のネイチャーライティングの傑作だと思います。

赤坂　思いますね。『日本という不思議の国へ』という本でアラン・ブースが書いている。またちがう視点でこれをながめている。ブースをわたしは好きなんです。

野田　ブースについては、わたしは知りませんでした。

赤坂　これに関連してアレックス・カーの庭についての記述のなかでも、彼ら欧米人がとどいていない場所があるなと感じるところです。つまり人間がかかわって変容させていく自然といったものにたいする距離のとりかたがおもしろいなという気がします。そういうテーマがあるんだということにわれわれはようやく気がつきつつあるのかもしれな

『日本という不思議の国へ』
赤坂憲雄著、春秋社、二〇一八年

アラン・ブース
作家。一九四六―一九九三。英国ロンドン生まれ。バーミンガム大学で演劇と英文学を学び、シェイクスピアや古典劇の演出も手がけたのち、能に関心をもつ。一九七〇年に来日し、早稲田大学英文科で教壇に立ちながら、批評家として活躍。日本各地を歩き、代表作のひとつ *The Roads to Sata* では、一九七七年に北海道宗谷岬から九州の南端の佐田岬まで旅をしたことを書いている。一九九二年に日本の永住権を取得し、翌年逝去。

アレックス・カー
東洋文化研究家、作家。一九五二―。米国メリーランド州生まれ。イェール大学で日本学を学び、一九七二年に慶應義塾大学国際セン

いと思います。

野田　そういうテーマとおっしゃるのは「風景以前」の問題ということになりますか。

赤坂　そうですね。風景以前とか野生とか、人と自然との関係をじつは文学作品はいろいろなかたちですでに描いていて、それを読むことによっていろんなものが見えてくる。そういう予感を感じさせられます。

富士を翻訳する

野田　『津軽』はだいたい高校生くらいの時に読んでいるわけですけど、そのころ読んでいた『津軽』とは全然ちがう顔の『津軽』が現れるわけですね。ネイチャーライティングをとおって、迂回して読んだ時にまるでちがう読みかたができます。おどろきがあります。**夏目漱石**が『**三四郎**』のなかで「風景を翻訳する」「富士山を翻訳する」という概念を使うんですが、これもわたしにはおどろきでした。「君、不二山を翻訳して見た事がありますか」って広田先生が三四郎にきく。「翻訳ですか」って三四郎はとまどうんですが、広田先生は「自然を翻訳すると、みんな人間に化けて仕舞うからおもしろい。崇高だとか、偉大だとか、雄壮だとか」と答えています。

赤坂　風景を翻訳するんですか。おもしろいですね。

野田　富士山を翻訳する。富士を翻訳する。これはアメリカでも『Translating Mount Fuji』と題する漱石論を書いている学者がいます。三四郎の本筋とはまったく関係ない。広田先生と上京した三四郎ともうひとりの友だちが下宿屋をさがしている時、広田先生

ターへ留学。留学中に日本各地を歩き、徳島県祖谷の古民家に住む。その後オックスフォード大学で中国学修士号を修める。一九七七年に再来日し、日本の古典美術研究をすすめ、『美しき日本の残像』の英語版 *Lost Japan*（一九九六年刊）で注目を集め、司馬遼太郎、白洲正子、松岡正剛らとも交流。京都を拠点に活動をつづけ、二〇一九年、文化庁長官表彰を受ける。

夏目漱石
小説家、英文学者。一八六七（慶応三）－一九一六（大正五）。東京生まれ。作品に『吾輩は猫である』、『それから』、『道草』など。

『三四郎』
夏目漱石著、春陽堂、一九〇九年

『Translating Mount Fuji』
Dennis Washburn, *Translating Mount Fuji:*

と三四郎が暇でただ立ち話しているだけなんですけど、そこで「富士山を翻訳するとどうなると思うかね」って。われわれはだいたい「崇高」とか「偉大だ」とかそういうふうにみんな翻訳しているんだ、翻訳しないと全然おもしろいと思えないんだと。これは太宰がいっていることとまったく同じで、太宰が見たのは翻訳されない世界なんですね。だから風景がひとつの翻訳であり表象であるということ。そのことに漱石という人はさすがに気がついていたっていう。それもむかし読んだ時はそんな箇所には気がつきもしなかったのですが。だけどこんなことをこんなところで口走るのか、というふうに思ってものすごくおもしろかったですね。

赤坂　翻訳された風景が固まっていくと名所旧跡になるんでしょうね。

野田　そうですね。

赤坂　柄谷さんは、独歩では名所旧跡的に風景が切断されている、というふうにいわれたんです。今回独歩の『武蔵野』というテクストを大学院生たちといっしょにそれこそ舐めまわすように読みながら気がついたのは、わたしたちは断絶しているのだろうか、ということです。というのは、名所はたしかにまったく出てこないんですね。でも感性レベルの意識とか、和歌的な叙情とかそういうものはけっして断絶していないというふうにわたしは感じました。この本のなかでも富士山と月が意外なところに出てくる。近世の『武蔵野図』といわれている絵画様式のなかではススキの原っぱがあって、その上に富士山とこちらにもうひとつの山の連なりがあって、月が草のなかに見える。つまり富士山と月と草が三位一体のようになって武蔵野のイメージをつくっていた。独歩はたしかにその草を捨てたんですね。草の武蔵野から雑木林の武蔵野へ、落葉林の美というの

Modern Japanese Fiction and the Ethics of Identity. Columbia University Press, 2007.

を見つけたわけです。たしかにそうで、でもそのかたわらに、つねに富士山と月があるというふうに考えると、けっして独歩は近世的な美意識とか叙情とか風景論から切断されていないのではないか。

野田　つまり完全にあたらしくなったというわけじゃないですね。

赤坂　そうですね。切断ではなくて継承、つながっているものもあるとわたしはそこをかなり強調するかたちで論じました。そういう語り口も、ある意味ではかなりネイチャーライティング的な語りかたをわたしはしているんだと結果的に感じています。

野田　メモにも書いていたんですけど、アメリカのエコクリティシズムではナラティヴ・スカラシップ（narrative scholarship）というスタイルが見受けられます。自然とか環境の問題を考える場合、学問あるいは論文の書きかたそのものが変わるべきだ、という考えがあって、みんながみんなできるわけではないですが、作品が書かれた現場にいって、その現場が変わっていくところに立ち会いながら書くというスタイルです。これは才能がないとできない。しかも、非常にパーソナルなエッセイのような側面があるので、一般的な論文という観点からいうと抵抗が多いわけですけど、これをこの分野のなかではわりと定着させてきているところがありますね。

赤坂　そうですか。

野田　赤坂さんのお仕事では語り、もしくはご自身の語り口の部分がとても大きな要素で、そこにリアリティが入ってくる。このスタイルは、環境文学ということを考えたらあたりまえかもしれない。学問のスタイルそのものにリアリティが混入する。学問がより徹底したかたちで環境というものを考える方法なのだろうと思います。その意味ではまさにナラティヴ・スカラシップの実現だと思っています。

赤坂　そうおっしゃっていただけるとくすぐったいというか、うれしいですね。

野田　かつて「文学散歩」というのがよくありましたね。有名な文芸評論家が作家の出生地や、ゆかりのあるところに出かけていくガイドブック的なもの。かつてのわたしはあいう評論の手法を馬鹿にしていました。しかし、環境文学の洗礼を受けて以降変わってきました。環境文学論をやっていると文学のフィールドにいくことは、本を読んでいればいいんだという世界とはちがってきたなという感じがあります。それよりも表象と現実の差異に自覚的になること、そこに目をこらすこと、その差異とは何かを熟考すること、これが環境人文学のフィールドではないかという気がします。これは誤解を招きやすいのですが、何も表象を否定しようとするものではありません。ただ差異に注目することが重要なのだと思うのです。この問題に目をむけさせてくれたのは、ハルオ・シラネさんの研究でした。

赤坂　自分の話になりますが、『武蔵野』というテクストを読む時に文字テクストとしてだけでは読みたくなかった。「つくられた自然」といういいかたはいろんな人たちから、柳田以外にも独歩の『武蔵野』にかんしてもいわれているんですね。宮本さんもいわれている。でも、その先にいこうと思った時に、明治二九年の四月から明治三〇年の三月まで独歩は渋谷に暮らしたわけです。渋谷という場所性ですね。渋谷という場所がとても気になってしまった時に、渋谷をある程度歩かざるをえなかった。そのときに明治二〇年代の古地図がすごく役に立つ。古い地図を手にして歩くことによって、明治二〇年代の渋谷が見えてくる。その渋谷は帝都東京からするとまだ街のはずれです。郊外的な

ハルオ・シラネ
一九五一年、日本生まれ。日本文学研究者、コロンビア大学教授。おもな著作に、*Japan and the Culture of Four Seasons*、*Monsters, Animals and Other Worlds: A Collection of Short Medieval Japanese Tales*、『世界へひらく和歌　言語・共同体・ジェンダー』など。

表情がたくさんある。独歩はそこに住みながら、でもそのむこう側にすこし散歩をして越境することによって、武蔵野という風景が見えてくる。代々木や周辺はみんなそうだったんでしょうね。独歩の時代には練兵場ではないですが、そのあとに練兵場ができ明治神宮ができる。歴史のなかで変わっていくけど、そこに武蔵野があたりまえに広がっていた。

テクストをきちんと読んでいくと、こんどは背後に近代の開発によって変容していく渋谷が書きこまれていることが見えてくる。道玄坂のあたりがなぜ繁華街になっているのか、そこに軍隊の影がちらっと見える。渋谷の独歩の暮らしたあたりは武蔵野という郊外につながりながら、同時にあたらしい近代の開発のなかにまきこまれていく両義的な場所である。そして独歩がそのなかでついに書かなかったものが、独歩の家の裏手にあった。陸軍衛戍監獄(えいじゅかんごく)にはふれないんですね。大岡昇平がそれを『幼年』のなかで批判していますよね。なぜ書かなかったのかと。わたしはそのことを思いだしながら、独歩の『武蔵野』というテクストの読みかたがまったく変わっていく体験をしました。そのときにやっぱり文学の場合にも、ぜんぶの作品とは思わないけど、フィールドをきちんと知っておく、そうしてテクストを読んでいくことはたいせつな読みのプロセスになるんだなと感じました。

野田　武蔵野の名所化という問題がひとつありますね。アメリカの場合もやっぱり一種の名所化をする。一九世紀だといちばんよくあるパターンは、ヨーロッパ・アルプスに見立てて山を見ていく。つまり日本中になんとか「富士」があるのと同じで、アメリカにもアメリカン・アルプスと呼ばれるところが何か所もあります。観光化と見立てが同時

陸軍衛戍監獄
衛戍とは、旧日本陸軍において、軍隊がひとつの場所に永久的に駐屯することをいう。衛戍監獄とはその衛戍地に配置された刑務所、拘禁所の旧称。国木田独歩の家があった東京都渋谷区宇田川町周辺に陸軍衛戍監獄がうつってきたのは一八九〇(明治二三)年。赤坂憲雄『武蔵野をよむ』(岩波新書)を参照。

大岡昇平
小説家。一九〇九(明治四二)―一九八八(昭和六三)。東京生まれ。作品に『俘虜記』、『野火』、『武蔵野夫人』、『レイテ戦記』など。

『幼年』
大岡昇平著、潮出版社、一九七三年

的に発生する。アメリカのような「新世界」が「旧世界」ヨーロッパを連想し引用するわけです。ヨーロッパにたいしてアメリカはどんなところかを紹介する時に、そこに似ているヨーロッパの名所を連想としてもちだすわけです。そうしないと伝わらないだろうと思って。それ自体を客観的に記述してもだめなので、ここはアルプスみたいなところだとか、スイスの山のなかにある湖みたいなところだといった具合に、いちいち見立てをする。それは漱石のいった「翻訳」ですね。アメリカのなかに名所をつくっていく作業は、やはりヨーロッパが規範となっておこなわれた面があります。もちろんそこから独自性を見いだしていきますけど、それがとてもおもしろいなと思っています。

音風景とストレンジャー

野田　それから赤坂さんの武蔵野論を読ませていただいた時に音の話、サウンドスケープ（soundscape：音風景）の話も出てきていて、独歩がいろんな音が聞こえているということを羅列的に書きますね。あのスタイル、文体は伝統的なものなのかあたらしいものなのかというのをうかがいたいと思っていました。出来事を因果関係で説明するのではなく、事象を羅列し並列させている状態の表現は、日本語のなかになかったことではないと思いますが、それでもけっこう近代的な書きかたのような気もしています。アメリカ文学の場合、ウォルト・ホイットマンという詩人がそれをもっとも徹底的にやったのですが、たとえば街を通っていたら市場があって、市場に買いものをする女性がいて、買いものするかたわらをかけぬけていく子どもがいて、遠くで教会の鐘がなって……とい

サウンドスケープ（soundscape：音風景）
視覚的な「風景」という概念の構成要素として聴覚的な音の要素を加味した環境世界把握の概念。

った具合に羅列していく。そこにはなんの因果関係もない。こんなふうに風景として羅列的に描く書きかたは、ある種疎外された眼差しでもあって、対象に直接関与していない傍観者的態度だといわれます。それと独歩のこういう表現が非常にちかいような気がしますが、お考えがあったらお聞かせください。

赤坂　渋谷の道玄坂に生まれ育った人がのこした記録があったとしたら、それはサウンドスケープも羅列的じゃないと思いますね。むしろ、よそ者だからさまざまな音が耳にとびこんできて、その序列とかヒエラルキーがない場所で書きとめている一節でしょうか。逆に、たぶんそこに生まれ育った人には、いろんな音が聞こえていないと思いますね。

野田　ラフカディオ・ハーンみたいですね。

赤坂　そうですね。

野田　いろんな音が聞こえてきますね。

赤坂　土地の人は雑音を拒絶しているわけです。でもよそ者の独歩は雑音も主要な音もわからないかたちで、押しよせてくる音を記述しているのかもしれない。

野田　ああ。それはすごくよくわかります。

赤坂　たぶんそういうものですね。

野田　外部の人間にはわからないですね。どれが雑音で、どれがそうでないか。

赤坂　雑音か主要な音か。

野田　だからいろんな音が聞こえてくる。

赤坂　聞こえてくるんだと思います。日記でもそういう場所はあるけど、やっぱりよそ者で音の風景の価値判断ができないところで書きとめているというかたちなんですね。雑

ラフカディオ・ハーン
小泉八雲。新聞記者、小説家、日本研究者。一八五〇―一九〇四。ギリシア生まれ。作品に『知られぬ日本の面影』、『東の国から』、『骨董』、『怪談』など。

木林のなかで蹄の音が聞こえるとか、銃声のようなものが聞こえるとか、ぽつりと書きこんである。

野田　ようするに本人がストレンジャーつまり外部者だからということですね。

赤坂　そうだと思います。ストレンジャーとして彼は武蔵野を発見し、雑木林を発見し、サウンドスケープを記録した。

野田　そうぜんぶそろっています。

赤坂　ぜんぶ、ストレンジャーの発見なんです。

野田　とても刺激的なお話をいただきました。元祖ネイチャーライティングというべき、一九世紀アメリカのヘンリー・デイヴィッド・ソローによる『ウォールデン』という作品があります。そのなかで、彼は自分の生まれ育った町を「旅する」と書いています。ウォールデンという森は彼の故郷の森です。その森の一角に住みついたという記録文学的な物語を書いているわけですけれど、そのときの彼のスタンスは、よく知っている自分の町をストレンジャーのようにながめるというものです。そうすることで「異化」していくわけです。自分がよく知っている場所を意識的に異化している。自分をあたかもハーンのような立場に擬するわけですね。いわば自己異化みたいなことをやっている。もうひとつの例は萩原朔太郎の「猫町」ですね。あれも見なれた町、自分の町にいつもとちがう経路から入ることで猫町に変わってしまう。つまり異化することですよね。そして独歩。独歩はまさしく異化をしていて、それは彼がストレンジャーであったからこそ可能になった。あたかも自分が旅人であるかのように自分の町をながめなおしてみよう、みたいなことだっておこりえるというか。それはとてもおもしろかったですね。

ヘンリー・デイヴィッド・ソロー
アメリカの作家、詩人。一八一七―一八六二。マサチューセッツ州コンコード生まれ。自然回帰の思想を実践した作家として知られる。おもな作品に『ウォールデン』、『メインの森』、『コッド岬』など。

『ウォールデン』
一八五四年に出版されたヘンリー・デイヴィッド・ソローの作品。ネイチャーライティングの基本形を提示した代表的な作品。

萩原朔太郎
詩人。一八八六（明治一九）―一九四二（昭和一七）。群馬県生まれ。おもな作品に『月に吠える』、『青猫』、『純情小曲集』、『氷島』など。

「猫町」
一九三五年に刊行された萩原朔太郎の短編幻想小説。

赤坂　「猫町」ってとても不思議な作品ですね。そこに暮らしている人たちにとっての自明性みたいなものを括弧にくくってやることで、風景ってじつは変わりますよ。イザベラ・バードなんかもおもしろいです。ストレンジャーだから発見できるものって確実にあると思いますね。ちょっと話をずらしますけれど、お生まれになったのは、福岡県の大牟田市ですよね。

野田　はい。

赤坂　これとても大事だと思っています。原風景ってそれぞれですね。日本人の原風景は水田であるということになっていますが、武蔵野育ちのわたしの原風景にはまったく水田はないのです。武蔵野ですから、雑木林と野原と畑なんです。

野田　水田ではないんですね。

赤坂　そんなことを思いだしながら、野田さんはたしか大牟田市ですね。

野田　大牟田に住む人たちには怒られるかもしれませんが、ひと言でいって悲惨な町だったといいますか。公害都市で水俣以上に公害がおこってもおかしくないような汚染の町だったと思います。だからか、あるいは、にもかかわらずか、若いころからわたし自身はかなり反自然主義的な意識が強かったと思います。それは自分が育った町がまったく農村的なものや田園的なものとはかけ離れた場所だったからだとも思います。しかも母親が朝鮮半島からの引揚者で、彼女は自分の実家のあった農村地域のほうに引き揚げた時に、とてもひどい差別を受けたといつも語っていました。その結果、農村はとても差別的だという印象がわたしのなかに入りこんでいまして、いつのまにか「農」の世界にたいする抵抗感がありました。もちろん農業的な世界が自然とイコールではないとは思

イザベラ・バード
英国の旅行家、旅行記作家。一八三一―一九〇四。英国ヨークシャー生まれ。おもな作品に『ロッキー山脈踏破行』、『日本奥地紀行』、『中国奥地紀行』など。

公害都市
現在の大牟田市は明確な環境保全意識を有する市に生まれかわっている。

うのですが、それでもなんとなくそういう農的な世界への反感のようなものは続いていました。生まれ育ったのは駅前通り周辺。周囲には炭住が広がっている、そんなところでした。農業のかけらもない炭鉱と化学工場地帯です。夕方校庭で遊んでいると頭痛がしてくるんですよ。みんなで「亜硫酸ガスがおりてきているんだ」「頭痛くなってきた」といって帰る、そういう生活でした。

赤坂　『風の谷のナウシカ』の世界じゃないですか。

野田　ナウシカですか。そうかも知れませんね。ついでにいうと『もののけ姫』も水田、農業を排除した世界をあきらかに描いていますよね。タタラ場を主人公にしてしまうわけで農業的な世界を遠ざけて描いていています。わたしはそのことにはとても強く反応してきたと思います。あの町（大牟田市）で育った結果かもしれませんが、自然の問題にはとても懐疑的で、なぜ自然派の人たちがあんなに自然が魅力的だと思っているのかよくわからない。よくわからないから知りたいのかもしれませんね。そういうところはちょっとある。なんか苦手なんですよ。

赤坂　苦手なものを研究されているんですか。

野田　そう、苦手なものが気になる。そういうところはあると思いますね。風景画についても論じることがあるのですが、絵を描くことはまったく苦手です。遠近法で描けとか影をつくれとか、小学校の低学年の時は図工の時間に絵を描けといわれても何をやったらいいのかまったくわからなかったですね。上手に遠近法で描き影をつくれる子どもたちもいるけど、自分には全然できなくて、なんか適当にクレヨンをガシャガシャと動かして自動的にできる色彩の世界をつくって遊んでました。苦手でしたね。

『風の谷のナウシカ』
宮崎駿による漫画。一九八四年に、スタジオジブリ製作で長編アニメーション化された。監督は宮崎駿。

赤坂　とても共感をおぼえます。わたし自身も伝統的な自然とか風景のなかに暮らしてこなかったのです。じつはわたしは新興住宅街に暮らしていて、どんどん雑木林は伐採されていって、すぐかたわらには関東医療少年院がある。カトリック墓地とか多摩墓地とか府中刑務所とか、まさに郊外におかれた施設のオンパレード。米軍基地とか、精神病院とか。

野田　中心から排除されたものがそこにおかれている。

赤坂　そう、中心から排除されたものばかりでした。渋谷も、渋谷に集まっていた施設もそういうものですね。衛戍監獄とか、独歩の時代はなかったですけど代々木練兵場とか。つまり広大な空閑地があるから、そうなっていたわけですね。もうひとついえば東芝の工場とかも。わたしの生まれ育ったところはまさに郊外で、自分が見ていたものを雑木林と野原と畑だっていっているんですけれども、そのまわりにはじつは少年院があったり、米軍基地があったりする。だから自然へのあこがれはないです。

野田　そうなんですか。

赤坂　民俗なんか何もないところで育っています。だから東北にいった時には、めずらしくてしょうがなかった。お地蔵さんすらない世界でわたしは育っていますから。だって人が暮らしていない原野が開発によって新興住宅街に変わったわけです。そういう武蔵野はよく知っています。中学生の時に上級生がつくった武蔵野の歌を思いだします……「武蔵野に道は開けて　輝くよ　文化の光」っていう歌。それを中学生がつくっている。武蔵野の道というのは鮮明な記憶のなかにあるんですよ。だからこのメモのなかにある、大岡昇平さんの『野火』の一節、ちょっと読みますね。「静寂の中に、新しい落ち葉が、

『野火』
一九五二年に刊行された大岡昇平による戦場小説。

武蔵野の道のようにかさこそと足許で鳴った。私はうなだれて歩いて行った」（引用）、『野火』は読んだはずですが全然おぼえてない。

野田　そうですね。戦場小説である『野火』に「武蔵野」への言及があるなんてわたしも最近まで気づきませんでした。むかし読んだ時は全然そんなことが書いてあるなんて考えてない。目にとまってもいない。全然ちがうドラマを読んでしまっていたわけで、この一節を見た時にはまいったな、と思いましたね。

赤坂　大岡さんは『武蔵野夫人』にしても武蔵野の道を相当に歩いているはずですね。だからよく知っている。あたらしい落ち葉が足元でカサコソなるわけでしょう。そのときに武蔵野の落葉樹の雑木林、そのなかの道を思いだすんだと思う。きっとこのメモを見なければ、この「武蔵野の道のように」っていうことばが挿入されていたことを知らずにすぎていったと思いますね。絶対どこかでふれたいですね。

野田　ぜひふれてください。『野火』という小説にとって「武蔵野」は重要な役まわりを演じていて、言及はたぶん二回か三回くらいはある。

赤坂　『野火』のなかに書かれていますか。

野田　ええ、ちょっとそのことについて書いたことはあります。研究会レベルでの報告書と、最近雑誌『東京人』に書かせていただきました。さらにくわしいのは現在刊行準備中です。

赤坂　それを待って書きます。

野田　いえいえ、きょう思いだしてよかった。

赤坂　出典をあきらかにして、ふれさせていただきます。

引用
『野火・ハムレット日記』岩波書店、二〇一五年、15ページ

『武蔵野夫人』
一九五〇年に刊行された大岡昇平による恋愛小説。

『東京人』
都市出版から発行される月刊誌。

野田　恐縮です。そんなに大げさなものじゃないです。いずれわたしもちゃんと書きたいというふうには思っていました。ところで、さっき赤坂さんが武蔵野というのは空閑地で農業的なところではなかったとおっしゃいましたよね。これは武蔵野を知らないストレンジャーであるわたしにとってはイメージにちょっとギャップがある。

赤坂　そうですか。

野田　はい。おそらく独歩の『武蔵野』以降に語られている武蔵野のイメージ、自然に満ちているイメージがわたしもふくめふつうの人には定着していて、武蔵野は自然、あたらしい自然というイメージが前提となっているのではないでしょうか。そういうふうに刷りこまれているといいましょうか。しかし実際はそうじゃない。落差があるわけです。それだけに武蔵野のイメージそのものを再度考えなければいけない。たとえば、大岡昇平はどういう武蔵野をとらえていたのか。あきらかに独歩をふまえた武蔵野ですね。独歩をふまえないと『武蔵野夫人』という作品は出てこないと思うんですけど、この武蔵野はどういう武蔵野か。ようするに赤坂さんが把握しておられる武蔵野があり、大岡昇平の武蔵野がある。いうまでもなくそれらの起源としての独歩の武蔵野もある。その辺を総合的に考えなければいけない。フィリピンの森のなかで「武蔵野の道のように」ともらす時の大岡昇平の武蔵野は、きわめて屈折しているという気がしますね。

赤坂　わたしは独歩の『武蔵野』を読みながら、明治三〇年代の渋谷と昭和三〇年代の府中が重なっていった。武蔵野の風景をのこしながら急速に開発の波に洗われていく、その狭間に独歩がストレンジャーであったように、わたしは四谷で生まれたけど二歳の時に府中にうつった。だからよそ者の子どもの目でながめている。わたしは『東京人』の一一月号だったかに文章を書いて、そのタイトルが「武蔵野は移民の大地だった」というものでした。記憶をひっくり返しているうちに、自分のまわりは移民ばっかりだったことに気づいたのです。全国のいろんな地方から流れてきた人たち。あえて移民ということばを使いましたが、満州からの引揚者たちの住宅街もありました。友だちについてのいろんな記憶をまさぐっているうちに、西のほうの被差別部落の影を感じたり、あるいは在日の人たちの影を感じたりしました。わたしが思っていた以上に移民として語られるべき人たちが自分もふくめていたのです。自分の父親は福島出身で事業に失敗して東京に出てきて、いわば村を追われた人間です。そしてたどり着いた武蔵野。でもわたしだけではなくて、わたしのまわりの子どもたちみんな移民の子どもたちだったなと気がついた。それであえて「武蔵野は移民の大地である」と書いたのです。

野田 おもしろいですね。

赤坂 たとえば何か近世の史料を読んでいたら、「火田」ということばが出てきて、おやおやと思ったらこれ焼畑なんですよ。朝鮮半島の焼畑は「火田」って呼ばれている。「火田民」っていう。そのことばが近世の武蔵野にのこっています。古代に帰化系の人たちが埼玉とか武蔵野に入りますね。まちがいなく、その人たちが火田、焼畑的なものをもちこんでいる。それが記憶としてことばとしてのこっている。「サシ」ということばがある。武蔵野のサシは焼畑地名だといわれている。しかしその和語の焼畑をさすことばのかたわらに火田ということばを見つけた時、わたしはゾクッとしたんですよ。ゾクッとしたというと誤解されてしまうかもしれませんけど。どきっとした。火田ということばはどこから入ってどういうかたちでのこされているんだろうと。使っている人たちは、その出自を何も知らないと思います。でも記憶として古代に朝鮮半島からやってきた移民たちの記憶が、そのことばのなかに入りこんでいるんですね。武蔵野には三万年まえに人間がはじめて現れるけど、それ以後、つねに移民をくりかえし受け入れてきた場所なんだって思うようになったんです。そういう移民の大地といったイメージをあたらしくつくってみると大きな変換がおこりましたね。東北はみずからの村から追放したり、みずからの村を捨てたりした人たちのことをけっして語らない。つまり、東北の村の残酷さっていうのを自分では自覚していない。でもわたしの父親がそうだったように、つねに故郷にもどりたいもどりたいと思いつづけて死んでいった人たちが数知れず存在する。

わたしの父親の故郷の村も、じつは飢饉でつぶれてほかから人を入れている。そういう歴史があたりまえにある。東北を考える時に移動の問題をきちんと視野にとりこまないと、あまりにも土着みたいなところから地域が語られすぎている。すみません、ついしゃべりすぎました。

亡所

野田　ことばを失うよりほかないお話です。いま武蔵野は「移民の大地」だという話を聞いて、ちょっとわたしの個人的な話ですが、大牟田もまた移民の町なんです。ようするに炭鉱があるということは、そこに関連する産業ができてくる。おもに化学工場ですね。そこへ沖縄や奄美や朝鮮半島など、あちこちから人が集まっていて言語が多様なんです。学校へいくと、この子はどこどこの出身とか、全然ちがうわけです。農村的な小さな共同体みたいな世界ではない。生活保護も多かったですし、まさしく移民の世界でした。わたしの母親は朝鮮半島から引き揚げてきて、結局農村にはいられなくて、出てきて結婚するわけです。父親のほうは柳川の近辺の農家だったようです。でも実際には父親の父親、つまりわたしの祖父は遊郭を経営していた。それがもうかっていた。大牟田というのは炭鉱町でものすごく景気がよかった。そこに遊郭をつくってそれで食っていて、なかば遊んで暮らしていたらしいですが、そういう移民の大地、大地っていうほどではないですけど、たしかにいろんな人たちがいた場所だった。そういう世界だったということをあらためて思います。

石牟礼道子さんの話にうつりますが、天草・島原の乱を題材にした歴史小説**『春の城』**を書くための取材旅行記『煤の中のマリア　島原・椎葉・不知火紀行』（平凡社）というエッセイ集のなかで、石牟礼さんは「**亡所**（ぼうしょ）」ということばを使っています。亡所ということばはなんだろうと思って調べると、江戸時代のお役所用語のようです。災害や戦争などで住民が不在になってしまった場所を亡所というらしいのです。ある時その話をしたら、日本文学研究者に「亡所ということばは無責任に使ってはいけない」といましめられたことがあります。つまり差別語につながりかねないといったニュアンスでした。二〇一一年の震災のあと、原発事故のあとの福島の一部などもいわば亡所なんですね。石牟礼道子さんは天草・島原という土地は歴史的な亡所だと認識したうえで、それを歴史小説の舞台にしたんですね。それはどういうことかというと、それまでそこにいて生きていた人たちがぜんぶそこからいなくなって、いま天草・島原に住んでいる人た

石牟礼道子
作家、詩人。一九二七（昭和二）―二〇一八（平成三〇）。熊本県天草市生まれ。おもな作品に『苦海浄土　わが水俣病』、『椿の海の記』、『天湖』など。

『春の城』
石牟礼道子『完本 春の城』、藤原書店、二〇一七年

亡所
野田研一「「草の道」から「歴史の時間」へ　石牟礼道子の「亡所」探索」（野田研一、山本洋平、森田系太郎編『文化のなかの自然　環境人文学Ⅰ』勉誠出版、二〇一七年、所収）。

ちは、そこで滅びた人たちの直系の子孫ではなくて、あとから入植してきた移民の子孫なのだという歴史の見取図です。では亡所の歴史をまえにした時、作家はどうふるまえばいいのか。彼女は自然を見るという視点に立つ。つまり草木のなかに、歴史のなかにいた人たちが見える、そういう発想に立つ。スケールの大きさに驚愕する小説です。

赤坂　死亡の「亡」に「所」ですよね。

野田　そうです。赤坂さんご存じかなと思いましてもちだしました。亡所ということばについて最近ずっと気になっています。

赤坂　いや、おもしろいですね。そういう意味でいうと、わたしは東北のフィールドワークのなかで亡所をずいぶん見たり足を運んだりしていましたね。

野田　そうでしょうね。しかしそれをうかつに使わないようにといわれました。

赤坂　そういうのはまったく関係ないです。括弧をつければいいと思う。すごいキーワードですよ。

野田　わたしも石牟礼道子さんはこのことばをどこから手に入れたのかなと思ってびっくりしましたね。わたしには聞いたこともないことばでしたから。

赤坂　亡所の想像力ってすごいですね。

野田　まさに亡所の想像力ですね。赤坂さんがなさっている仕事もそういうことだと思います。

赤坂　亡所っていうことばにちょっと立ちすくんでいますね。

野田　「石牟礼道子の〈亡所〉探索」というわたしの論考でふれています。

赤坂　ちょっとずれますけど、この夏、イギリスのノリッジという町にサマースクールの講師として呼ばれていったんですけど、その海岸沿いに小さな湖とか沼がありました。それが、かつてあの辺に暮らしていた海賊が泥炭を燃料としてとりだしたところに、水がたまって湖や沼ができたと聞かせられて興味をもったところです。われわれがいま目のまえに見ている風景が、どういうふうにそうした風景として成立してくるのか、じつはわれわれはほとんど知らないのかもしれない。知らないことがあまりにも多すぎて、それはもしかしたら、かつて栄えた泥炭を掘った人がいなくなったまさに亡所なのかもしれない。泥炭を掘った跡である亡所がいまはたくさんの湖沼が点在しているような自然風景になっている。

文学テクストのあたらしい読みかた

赤坂　イギリス人は地図が大好きらしくて、年代ごとに多くの地図をつくっているので、それらの地図を見ているとたしかにそれを確認することができます。たとえば武蔵野の雑木林といわれて、だれもがその雑木林とはなんなのか問いかけずにきたと思う。わたしはその雑木林の正体を知りたくて、植物学とか生態学とかいろんな周辺の知を総動員するようなかたちで問いつめていきました。あれは照葉樹林が伐採されたあとにできる二次林であると知った時には、すごくうれしかったですね。近世に新田開発のなかで整えられていった風景なんです。そのまえにあった草の武蔵野って何か。それも秣場（まぐさば）のようなかたちで管理されていて野焼きをしていた。だから草地が広がっていたわけです。つくられた自然という意味を独歩の『武蔵野』を起点として追いつめていくといろん

秣場
田畑の肥料や牛馬の飼料などを刈りとるための野原。一定地域の住民たちが共同で管理する山林、原野など入会地であることが多い。

なことが見えてくる。たぶん独歩の『武蔵野』がなければ問いそのものがわれわれのなかに生まれていないのかもしれない。とりわけ独歩は環境人文学のなかで文学とか芸術、アートといったものが大きな役割を担う結節点なのかなと感じています。まさにたんに文学の研究とか評論というのではなくて、ほんとうに人文学のなかで文学テクストはあたらしい読みかたをされていく。そういう時代もすぐそこまできているんじゃないかなって思いますね。野田さんは二〇年、三〇年語られてきたと思うんですが。その辺をふりかえっていかがですか。

野田　そうですね。今回は文学作品、フィールドワークにおける人文科学的視点の話だったのでわたしはなじむのかどうか、そもそも何を考えればいいのかもなかなかわかりませんでした。ただ、最初のほうですこし申しあげたんですけれども、第一点めは文学テクストに環境の視点が入るだけであたらしい読みかたができるのではないかというものです。その視点から見る時、人間中心主義的な表象の世界と、実際の自然との落差の問題に直面せざるをえない。わたしが表象と現存の落差として考えている問題です。第二点めは、文学テクストこそが環境思想を考える時の重要な一次資料ではないかという観点です。人文系の環境思想をかたちづくっている分野として、抽象的・思弁的な哲学や社会学や倫理学あるいは心理学など多様な分野がありますが、この分野の研究をすすめていくうちによくよく考えてみると、文学作品は本人が意図しようがしまいが、どこかで自然について書いてしまう、表現してしまうところがある。たとえば藤原新也さんが山犬のことを書いたのは、がっちりとした理論的構想があって自然を潜在させたわけではないかもしれない。たまたま野犬の物語と東京の現実を並行的に書いただけかもしれない。でも、たんに思想として整序されたものではない、感受性や感性などを生の情報として提示する。それが文学作品なのではないかと考えるにいたりました。環境系の研究はどうしても抽象的な議論が多くなります。それを一概に否定はしないけれど、その根拠になるものはもっとなまなましい感受性とか感性とか感覚とか、そういう世界の記録であるはずなので、そこをすっとばしていいのか。環境論がただの政策論にならないように注意したいと思うのです。その意味で文学の価値は大いにあると思います。文学は人類が積み重ねてきた自然との関係の多様な表現をかなりダイレクトに保存している一次資料なのだという観点です。そう考えると、文学はすくなくとも環境研究に大きく寄与しうる。感受性とか感性、自然が好きとかきらいとか、そういった部分をくみとらないで、建前で「かくあるべきだ」という議論だけではだめなんです。好きもきらいもふくめて人間が感じていることをまずはとらえる必要がある。そこからどういう自然観をわれわれは構想していくのかを考える必要がある。それこそ文学の可能性だと思います。だから意外なものを見つけたいのです。いわゆる自然ものアウトドア系の自然派のかたたちが書く作品もあるけれど、そうじゃないところに意外な書き手がいて意外なことを書いていることにも目配りしないと、環境文学的なものの全体像をうまく描けないと思います。

赤坂　文学研究をしているかたたちはどのように受け止めていますか。

野田　一般的にはほぼ無関心ではないでしょうか。

赤坂　作家の人たちはどうでしょうか。

野田　強い関心をもっている作家もいます。こういう研究が文学批評のなかであたりまえに位置づけられるといいなと思いますけど、なかなかそうはいかなくて、文学研究のなかではやっぱり傍流ですね。ただ、最近は世界中で展開されつつあります。文学研究の理論書みたいなものでもかならずとりあげられています。それを土台として吸収するあたらしい世代の研究者も育ちつつあります。その意味では国際的な観点からいえば、エコクリティシズムはそれなりの地位をしめている。成立から三〇年ほど経過してようやくという感じかもしれません。それでも、一般的には「環境文学って何？」と奇異な目で見られる感じは依然として強い。エコロジスト系の人がやっている特殊な分野だろうと。

赤坂　誤解されますよね。

野田　誤解されますね。

赤坂　誤解してました。さっき自然大好き系の人ではないとわかってほっとしました。

野田　学会が九〇年代にできる。最初にアメリカで一九九二年くらいにでき、それを受けて日本でもつくろうという動きになり、最初の代表になりますけど、そのとき念頭にあったのは、本物がいずれやってくるという気持ちでした。わたしはナチュラリストでもエコロジストでもないので、にせものであるという意識は強くありました。ただ、学会という器をつくっておけば、こういう学問研究をやりたい、環境文学研究をやりたいというような志の持ち主が、エコロジストもふくめやがてやってくるだろうと考えていました。なんといっても自分はにせものなので。

赤坂　本物は参入してきましたか。

野田　本物は参入してこないですね。

国際的な観点
エコクリティシズムを標榜する学会組織がある国もしくは文化圏は、日本、韓国、台湾、ASEAN加盟国、インド、オーストラリア、ニュージーランド、アメリカ、イギリス、ヨーロッパ諸国など。

赤坂　おもしろいですね。

野田　はい。本物は「だめだ、これは」と思っていつかないですね。フレキシブルすぎるんです。本物のかたがたは、原発の反対運動とかそういう政治的な動きを学会そのものに期待するわけです。こちらとしては、どちらかというとそういう政治的な行動はそれぞれでやってください、というスタンスです。学会として決議して何か行動をおこすという政治的なことはしないというのを原則にしてきた。そういうことが好きじゃないんです。それはそれでやりたい人がやればいい。ただそうなると、なんだ、ここは環境をやるんじゃないな、ただの文学研究だったという受け止めかたになる。それでかえってよかったかもしれない。文学以外のところでかきまわされないですむ。そういうかたたちは政治力があるので、はっきりいうとかきまわされて大変です。文学研究者だけれども政治的傾向の強いかたたちが、のぞきにきたりもしたけど、でもこれはちがうなって引きあげていく。

赤坂　アメリカも状況は同じなんですか。

野田　アメリカはまずエコクリティシズムがいわば「認知」されている。会員数がべらぼうに多く、千数百人という会員数で一種ブームになっています。アメリカの英文科には必ずひとりはスタッフとしてこの分野をやっている研究者がいる状況があり、もう二〇年以上たっています。ただそこでもやっぱり環境文学研究は政治的なぶつかりあいがすくなくありません。わたしの観察では、環境教育にしろ、環境をやっている人たちは内側ではけっこう仲が悪いですね。アメリカもだいたい似たようなもので、上の人たちがなんでもどうぞとかなりオープンにやっているのでまとまっている。しかし、実際に入るとベジタリアンの人はもうベジタリアニズムばっかりいうし、非常にこり固まった、教条的な人ももちろんいる。それでもアメリカはわりと柔軟にはば広くやるぞとあらかじめ設定しているのだろうと思いますね。

赤坂　なるほど。

野田　そうしないとすごくめんどうになる。たちまち政治的になってしまう。

赤坂　なるほどそうですか。遠くから見ている時はわからないけど、なかにいる人たちは大変ですね。野田さんはともかく、そういう集まっている人たちはエコロジスト系の人なんだろうって。

野田　意外に柔構造だと思います。多様な人がいるので。

赤坂　いま学会はどういう名前なんですか。

野田　アメリカでは、ASLE（Association for the Study of Literature and Environment）という名称です。この種の学会は、アメリカで最初にできて、日本がそのつぎにできました。アメリカでつくった人がたまたま友人だったものですから、それで日本でもつくろうという話になって、「ASLE-Japan／文学・環境学会」という名前です。

赤坂　文学・環境学会ですか。いま何人くらいいるんですか。

野田　二〇〇人くらいです。なかなか二〇〇人をこえない。ずっと二〇〇人くらいですね。頭打ちで横ばい状態です。増減はあまりないようです。ただ、比較的若いかたが入ってきてくれる。いまは若い院生がすごく活躍している学会ですね。学会の大会があるとそのプレの催しを自分たちで設計して、独自のシンポジウムをやったりしています。こぢんまりとしていますけど、いろんな分野の人がいます。ぜひ赤坂さんも。

赤坂　入れていただけますか。

野田　それはもう。

死の問題は自然の問題

赤坂　対談メモにあるエミリー・ディキンスンについてすこしうかがいたいのですが。

野田　もともとエミリー・ディキンスンというアメリカの女性詩人を研究していて、修士論文は彼女の研究でした。非常に自閉的な詩人です。いまふうにいえば引きこもりですね。なぜその詩人を選んだかというと第一に社会性がないからです。生涯にわたって結婚もせず、実家の自分の部屋にこもりっきり。ほぼ外出もすることもなく、ひたすら詩を書いていた。家族は詩を書いているなんて知らなかった。ポツポツと投稿はしていたけど、でも匿名でした。しかし、いまや彼女はアメリカの二大詩人のひとりです。一八八六年に亡くなりましたが、彼女の詩の全貌があきらかになったのは一九五〇年代です。死後五〇年以上、半世紀以上たってからです。作品数は二〇〇〇点くらいです。この詩人がわたしは好きでした。わたし自身がもともと社会的なことに関心がないし、文学研究からそういう社会的・歴史的コンテクストをはずしてしまいたいと考えていましたので、もっとも純粋なことばの運動を表現している詩人としてこの詩人をとりあげました。

赤坂　それが修士論文ですか。

野田　はい。そのなかでも、死について書いた作品がわたしの修士論文のおもな対象です。彼女の詩の三分の一くらい、五〇〇〜六〇〇点は死についての作品です。ほかの五

エミリー・ディキンスン　詩人。一八三〇—一八八六。米国マサチューセッツ州アマースト生まれ。二〇〇〇編ちかくの作品を書いたが、生前は無名であった。作品の全容があきらかになったのは二〇世紀後半になってからであった。

(Emily Dickinson Museum)

〇〇～六〇〇〇点が自然について、のこりが恋愛詩です。エミリー・ディキンスンの特徴のひとつは生涯にわたって死とは何かを問いつづけたことです。わたしは若いころ死の問題は重要なものだと思っていましたので、彼女の死を主題とする作品（死の詩篇）ばかり論じていました。ところが、論じていくうちにじょじょに自然の問題が浮上してくるわけです。元来、自然に興味がないですから、意外な展開にちょっと躊躇するところがありました。でも彼女の詩をつうじてわかってきたのは、死の問題と自然の問題は裏腹の関係にあるということです。それで結局、自然詩を論じるという方向にふみこみました。彼女は一九世紀のアメリカの東部のいいところのお嬢さんで、引きこもりですけどクリスチャンの家庭で育っています。ニューイングランドという地域はすごくピューリタン的な伝統が強いところですので、まわりからの宗教的・教育的な圧迫を感じていた側面もあります。そういう地域でいわば反キリスト教的な、異端的な内面をかかえていた詩人です。単純にいうとこうです。教会の牧師や信徒が死後には復活があるといっている。この世の終わりの向こう側にはもうひとつのあたらしい生があると。だけどディキンスンはどこにその証拠があるんだと考える人だった。やっぱり一九世紀後半の人ですので非常に懐疑的になるわけです。そして、死の向こう側、この生の向こう側（life after death）はないというふうに独自に考えていた人です。ある面では彼女はそれを詩のなかで表現していますが、なにしろ異端的ですからあまり表に出せなかった。死の向こう側はないと考えた。そうすると重要なのは目のまえにあるこの世界、このフィジックスの世界がかけがえのない世界だということになります。メタフィジカルな世界でなくて、フィジックスつまり物質的な世界ですね。キリスト教的な思考は、メタフィジカルの世界がフィジカルな世界を支えていると考えている。つまり神がこの世をつくっている。キリスト教的な原理ではこのふたつの世界は一体的なのですが、彼女はいわば神の部分をきりはなしてしまったので、フィジカルの世界だけが重要になった。これがつまり自然です。その自然のなかで感じとるさまざまな感覚や感受性のゆたかな世界があり、死はその感覚世界の終焉だと見きわめていた。だからこそ彼女は自然詩を書いた。自然詩とはこの、わたしたちが生きているフィジカルな世界の記録にほかなりません。ディキンスンは、死後の世界は観念にすぎないと考えつくした。そのはてに、では観念でないものは何か、彼女はまさに眼前でいま生きているこのフィジカルな世界なのだと考える。一種の現世主義といってもいいでしょうか。こうして自然にたいする感受性をとぎすましていく。死の虚無とはことなるもうひとつの方向が出てくる。この人を研究する過程で死の問題は自然の問題につうじている、別個のテーマじゃないことに気がついた。ネイチャーライティングとか環境文学に入っていく入口で、この人のことを考えたこと、論文としては何十年もまえに書いたものですが、結局、わたしはここから出ていない。そういうことですね。エミリー・ディキンスンはすごい詩人です。

赤坂　そうですか。

野田　とんでもない詩人だと思います。日本ではなぜアルチュール・ランボーに匹敵する詩人として読まないのかって思うくらいにすごい詩人です。まあむずかしいめんどうくさい詩ですけど。

赤坂　きょうは非常に興味ぶかくエキサイティングなお話をありがとうございました。既存のフィールドとはすこしことなるフィールドの存在と研究のお話をお聞きし、おもし

アルチュール・ランボー
フランスの詩人。一八五四―一八九一。おもな作品に『地獄の季節』、『イリュミナシオン』など。

ろくて、わたしもついしゃべりすぎました。お許しください。ありがとうございました。

野田　こちらこそ文学とフィールドがつながっていると再認識できてよかったです。

Ⅱ部

エコクリティシズムの舞踏　環境文学というフィールドで

——結城正美

はじめに

文学の環境というテーマにとり組むためには、まず、環境ということばについて考える必要がある。

環境ということばは環境問題との関連でイメージされることが多い。環境の悪化を食いとめなければならない、とか、環境を改善するためにはどうすればよいか、という具合に、環境を語る時には、よい環境／悪い環境という判断がともなう。では、よい環境という時、わたしたちは何を根拠に〈よい〉と判断しているのだろうか。近年、熊や猪が住宅地で目撃されるケースが増えているが、これを例にとると、人間の居住地域が動物によって荒らされない環境がよいとされる場合は、熊や猪は害獣とみなされ駆除の対象となる。逆に、動物が人里におりてこなくても山に食べものがある環境がよいとみなされれば、動物が暮らすことのできないほど山が荒れている状態が問題視され、よい山づくりに関心がむけられる。ほかにも、遺伝子くみかえ作物を例にとれば、人体や環境におよぼしうる危険性を懸念する人にとって、それはよいものではないが、世界人口の増加にともなう食糧問題の解決のために不可欠であるとするみかたに立てば、よいものと判断される。例をあげればきりがないが、環境にかんする事柄には、どのような環境をよいとみなすかという価値観がかかわっているのはたしかである。

　環境問題ということばは、グローバリゼーションやコミュニケーションといったプラスチック・ワードと同じく、意味が曖昧なままに流通しているところがある。一般的な定義では、環境問題とは人間の活動に由来する環境の変化によって生じた問題の総称であるが、この包括的な定義には、自然科学寄りの問題と人文科学寄りの内容がふくまれている。おもに自然科学がとり組むものを「生態学（エコロジー）の問題（problems in ecology）」、人文科学が研究主題とするものを「エコロジーをめぐる問題（ecological problem）」とする思想家のジョン・パスモアの区別に依拠し、環境文学研究者のグレッグ・ガラードはつぎのように説明している。たとえば雑草が問題化される場合、雑草の効果的な除去方法は「生態学（エコロジー）の問題」であり、数多ある植物の何を雑草とみなすかという判断や価値観にかかわる事柄は「エコロジーをめぐる問題」である。

　これにならって、環境問題を、科学知にかかわる〈環境の問題〉と価値観にかかわる〈環境をめぐる問題〉に区別すると、一般に環境問題と呼ばれるものは、環境の問題としての側面が強い。たとえば、化学工場の排水により海が有害物質で汚染された場合、問題となるのは水質汚染であり、解決策として水質改善のための技術や法律が議論される。これは環境の問題である。いっぽう、環境をめぐる問題は、有害物質をふくむ排水を海に流す行為自体を問題化する。どうすれば水質が改善されるか、ということよりも、なぜ廃液を垂れ流しにするのかを問うのである。環境をめぐる問題という見地に立つと、環境問題

プラスチック・ワード　ドイツの言語学者ウヴェ・ペルクゼンの用語。もともとは「レゴ・ワード」という用語が考えられていた。レゴ・ブロックのように、中身はからっぽだが多様無限にくみたて可能で、いかにもあたらしいことを伝えているかのように乱用されることばをさす。『プラスチック・ワード　歴史を喪失したことばの蔓延』（藤原書店）を参照。

ジョン・パスモア　一九一四―二〇〇四。オーストラリアの思想家。『自然に対する人間の責任』（岩波書店）など著書多数。

グレッグ・ガラード　環境文学研究者（エコクリティック）。ブリティッシュ・コロンビア大学教授。編著書 *The Oxford Handbook of Ecocriticism* をはじめ、エコクリティシズムの理論と実践にかんする研

は人間の問題としてとらえられてくる。

もちろん、人間の問題といっても、人間のことだけを考えるのでは、環境は関心の外におかれるのであるから意味がちがってくる。人間の問題として環境に関心をむけるということは、人と環境の関係を考えるということを意味する。

文学研究は伝統的に、文学作品の分析をとおして人間の問題を考察してきた。人間の生きかたや幸福といった普遍的な問題だけでなく、ジェンダーや人種や民族などの社会問題にも鋭く反応し、作品分析をとおして論点をふかくほりさげ、複雑にからみあった問題を可視化するという重要な役割を文学研究は果たしてきたし、現在もそうである。けれども、環境にかんしては、文学研究の反応は遅かった。すくなくとも一九七〇年代には環境問題が社会現象になっていたにもかかわらず、人と環境の関係を主題とする**環境文学**が文学ジャンルとして提唱され、エコクリティシズム(1)という文学批評が生みだされたのは、一九九〇年前後のことである。

環境文学とは何か、エコクリティシズムとは何か、という問いを立てても抽象的な議論に終わってしまいかねない。それよりも、エコクリティシズムは何をするのかということに目をむけ、それを実践的に検討するほうが、この文学批評のフィールドがあきらかになるだろう。

エコクリティシズムにたずさわる研究者は何をするのか。文学作品を検討題材とするのだから、当然、基本的に机にむかって作品読解をおこなう。このようにいうと、エコクリティシズムはフィールドワークと関係がないと思われるかもしれない。実際、環境文学に出会うまえ、わたしはそう思っていた。けれども、エコクリティシズムにたずさわるうち

究書を精力的に出版し、多様化するエコクリティシズムの動きを牽引している。言及した説明は、*Ecocriticism* (2nd ed.) より。

環境文学
人間と環境の関係をテーマとする文学で、思弁的なものからジャーナリスティックおよび告発調のものまで、テーマへのアプローチのしかたはさまざまである。小説、詩、演劇などあらゆるジャンルをふくむ。「人間と自然環境の関係をめぐる一人称ノンフィクションエッセイ」と定義される「ネイチャーライティング」を継承しつつ、環境文学では、「環境」の範囲が地域社会や国際社会におよぶ。

環境文学というフィールドの記録
フィールドという参照枠はもちいていないが、環境文学がもたらす揺れについては、拙著『水の音の記憶

に、文学作品は静的な分析対象ではなく、分析するわたしを揺さぶり、わたしに自分の判断基準や価値観の問い直しを仕向ける、活動的な場であることに気づいた。作品とむきあう過程で、それまで疑ったことのなかった自分の足場がぐらつき、時にうずくまり、時に揺れに身をまかせ、手探りでバランスを見いだそうとする。これはある種の舞踏のようなものである。軽やかでもなければ優美でもない。地盤の揺れに動揺し、絶えず足のおき場を探りながらの、ぎこちない舞踏。環境文学は、そのような揺れの震源であり、舞踏のフィールドである。

わたしがはじめてそのような揺れを経験したのは、アメリカでエコクリティシズムにとり組みはじめて半年ほどたった時だった。本論は、そこにいたるまでの経緯をふくむ、環境文学というフィールドの記録である。

I　荒野で、風に吹かれて

環境文学が日本に本格的に紹介されはじめた一九九〇年代なかば、修士課程の学生だったわたしは、エコクリティシズムの生みの親のひとりであるスコット・スロヴィック教授の集中講義に参加した。それ以前に、スロヴィック氏と交友のある野田研一先生の授業でネイチャーライティング[2]を読んでいたので、環境文学に接するのははじめてではなかったにせよ、それでもスロヴィック氏の集中講義には衝撃を受けた。一人称ノンフィクションエッセイが大半をしめるリーディングリストにおどろき、作家との交流のエピソードがおりまぜられた講義に驚愕し（当時、わたしは一九世紀後期アメリカ文学を研究しており、研究

エコクリティシズムの試み』（水声社）の序論でも論じた。本論はこの拙著書の内容と一部重複することをお断りしておく。

スコット・スロヴィック　一九六〇―。環境文学の学術団体ASLEの初代代表。ブラウン大学で博士号を取得。博士学位論文は *Seeking Awareness in American Nature Writing* として出版された。一九九三年、フルブライト客員研究員として日本に一年間滞在し、北は北海道から南は沖縄まで各地の大学で精力的に環境文学の講義をおこない、「エコクリティシズムのジョニー・アップルシード」（山里勝己）と呼ばれた。後述のグロトフェルティらとともにネヴァダ大学リノ校のL&Eの創設と発展にたずさわった。二〇一二年にアイダホ大学へうつり、あらたに環境文学プログラムを構築している。

対象となる作家は過去の人という思いこみをもっていた。ましてや作家と話したりともに行動したりするなどということは考えてもみなかった）、作品の読みこみと並行してジャーナル（思索的な日記）執筆が課題として出されたことに困惑した。数日にわたる集中講義の期間中、これが文学?? と、混乱の渦に引きずりこまれたことをおぼえている（写真1）。

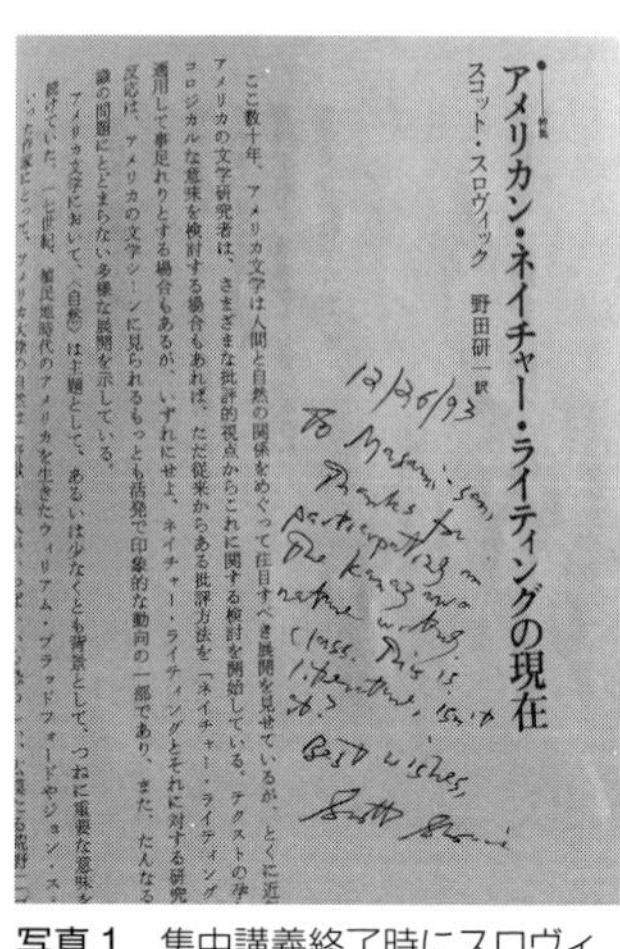
●——特集
アメリカン・ネイチャー・ライティングの現在
スコット・スロヴィック　野田研一 訳

ここ数十年、アメリカ文学は人間と自然の関係をめぐって注目すべき展開を見せているが、とくに近
アメリカの文学研究者は、さまざまな批評的視点からこれに関する検討を開始している。テクストの
コロジカルな意味を検討する場合もあれば、ただ従来からある批評方法を「ネイチャー・ライティング
適用して事足れりとする場合もあるが、いずれにせよ、ネイチャー・ライティングとそれに対する研究
反応は、アメリカの文学シーンに見られるもっとも活発で印象的な動向の一部であり、また、たんなる
論の問題にとどまらない多様な展開を示している。
アメリカ文学において、〈自然〉は主題として、あるいは少なくとも背景として、つねに重要な意味を
続けていた。一七世紀、植民地時代のアメリカを生きたウィリアム・ブラッドフォードやジョン・ス

写真１　集中講義終了時にスロヴィック氏が書いてくれたメッセージ。環境文学にかんするわたしのとまどいを察して、「これが文学ですよね（This is literature, isn't it ?）」と記されている

その混乱はある種の引力でもあったのだろう。それから二年後、わたしは渡米してスロヴィック氏に師事した。留学先はネヴァダ大学リノ校大学院英文学研究科で、一九九六年に全米初（ということは世界初）の環境文学研究の大学院プログラム（Literature and Environment Program、略してL&E）が設置されたことで知られる。いまでこそ環境文学の大学院プログラムは世界各地にみられるが、L&Eに触発されたものはすくなくない。四人からなる教授陣のうち三人が、全米およびイタリアと日本からつどった約一〇名の大学院生とたいして年齢のちがわない、三〇代の若手研究者であった。エコクリティシズムへの情熱はいうまでもなく、**文学・環境に特化した大学院プログラムの評価**がかかっていたため、教授陣の責任感と行動力には底知れないものがあった。

L&Eは多くの点で、伝統的な英文科の大学院プログラムとはことなる、むしろ正反対

北米、欧州、豪州など英語圏はもとより、アジア、南米、アフリカなど世界各地で講演や講義をおこない、エコクリティシズムの普及において比肩するもののない貢献をなしている。

野田研一
略歴は巻末の編者紹介を参照。ブラウン大学での在外研究中（一九八九―九〇）、当時博士後期課程の学生だったスロヴィック氏と出会い、ネイチャーライティングをふくむ環境文学の研究に着手した。帰国後、勤務先（当時）の金沢大学でネイチャーライティングの授業を開始するとともに、環境文学の学術ネットワーク構築において中心的な役割を果たした。一九九四年に設立されたASLE-Japan／文学・環境学会の初代代表。

文学・環境に特化した大学院プログラムの評価

写真2　L&Eではよく教授宅に集まって、食事をしながら遅くまで語りあった

ともいえる、特徴を有していた。環境問題は自然科学と人文科学にまたがるので、エコクリティシズムには当然、学際的見地がもとめられる。そこで、L&Eでは必修外国語として、フランス語やドイツ語といった外国語のかわりに、生物学や地理学など関連分野で単位を修得することも認められた。また、文学理論や専門用語をあたりまえのように使用することをさけ、異分野の研究者や一般読者が理解できるよう議論を構築することが重要視された。さらに、教授陣は皆、名門校出身で、自身の経験をとおして大学院生が足をひっぱりあうことの非生産性を痛感していたので、L&Eでは院生同士だけでなく、院生と教員、大学と地域をつなぐ知的コミュニティの構築に力がそそがれた（写真2）。大学業務に多少くわしくなった現在から考えると信じがたいことだが、L&Eでは、授業や公開講座で作家や詩人と話す機会が頻繁にあり、すでに研究方法として知られていた文学作品の多元的読解に、あらたに物語や身体を媒介とするアプローチの可能性を実感させるような環境が提供された。

　教授陣のひとりであるシェリル・グロトフェルティ（次ページ写真3）は編書『エコクリティシズム読本』の序文で、環境が社会問題となっている二〇世紀後半に、なぜ文学研究は依然として環境に関心をむけないのかと問い、象牙の塔から出て外部と接触すること

評価項目の一部として、環境文学研究というあたらしい専門分野の学術的認知の向上と、大学院生の就職があげられる。後者にかんする余談だが、わたしをふくむ大学院生は、教授陣から、名門校とちがって大学名が有利にはたらくことがないのだから人一倍努力せよ、とことあるごとにいわれた。教授陣は口でいうだけでなく、研究職に就くための実践的トレーニングの機会をたびたび設けるなど、手厚いサポートを提供してくれた。

シェリル・グロトフェルティ

カリフォルニア州パロアルトで育ち、シエラクラブ主催のバックパッキングなど野外活動をとおして自然環境への関心をふかめた。一二歳の時に経験したアースデー（一九七〇年の初集会で中心的役割を果たしたのは、パロアルトにあるスタ

写真3　シェリル・グロトフェルティは現在、ネヴァダ大学リノ校を退職し、執筆に勤しむかたわら、彼女らしくあらたなチャレンジを楽しんでいる。綱渡りに似たスラックラインもそのひとつ

が必要であると論じている。一九八〇年代の終わり、コーネル大学博士後期課程の学生だったグロトフェルティは、文学研究がジェンダーやポストコロニアリズムの問題に敏感に反応するいっぽうで、環境にかんしては無関心であることに疑問をいだいていた。そのころ、ヘンリー・ルイス・ゲイツ・ジュニアの講義を受け、黒人文学研究がアメリカ文学の正典を揺さぶるのを肌で感じ、同じことが環境文学研究でも可能ではないかと思ったという。すぐさまグロトフェルティは、環境文学研究にかかわる論文を調べて一覧を作成し、関心のありそうな研究者に送り、文学批評としてだけでなく知的コミュニティ形成においてもエコクリティシズムの種をまいた。

屋内で作品読解に没頭する文学研究者といえども、日常生活における通勤、買いもの、散歩、休日のハイキングなど、物理的環境と接する場面はすくなくない。客観的分析を絶対視する学術研究では主観は徹底的に排除される。そのような傾向は文学研究にも強く、研究者の身体的・感覚的経験は文学研究と無関係であるとみなされてきた。環境問題がメディアでとりあげられるほど日常的関心事になっても文学研究がなかなか反応しなかった要因のひとつは、この点にある。身体的経験と研究関心の乖離が、環境という問題域にお

ンフォード大学の大学院生デニス・ヘイズであった）を契機に、環境問題にも関心をもちはじめた。学部時代は生化学を専攻し、後に英米文学に変更した。コーネル大学で博士号を取得。一九九〇年に着任したネヴァダ大学リノ校での肩書き「文学・環境分野の教授」（Professor of Literature and Environment）はみずからの提案による。

『エコクリティシズム読本』 *The Ecocriticism Reader: Landmarks in Literary Ecology*
なお、グロトフェルティによる序文は、ほぼ同内容で邦訳がある（「アメリカのエコクリティシズム　過去、現在、未来」『アメリカ文学の〈自然〉を読む　ネイチャーライティングの世界へ』）。

ヘンリー・ルイス・ゲイツ・ジュニア

写真5　*Refuge* 表紙。くり返し読むうちに表紙が剥がれてきたので、テープで補強するとともに、もう一冊購入した。余白の書き込みが備忘録的役割をもつので、買いかえたあとも古いほうは捨てられない

写真4　1995年春、テリー・テンペスト・ウィリアムスと広島で

ける文学研究の遅れの背景にあったとすれば、両者のからみあいにエコクリティシズムが注目したのは当然であった。なかでもナラティブ・スカラシップと呼ばれる研究手法は、とりわけエコクリティシズム初期（あるいは第一波）に関心を集めた。これは、分析する作品の舞台（場所）を研究者が実際におとずれ、そこでの経験を作品分析の一方法としてとりこむもので、作品をめぐる身体的経験にもとづく語り（ナラティブ）を織りこんだ分析方法である。研究室の外に出て、作品に描かれる場所（調査地）に身をおくという点で、ナラティブ・スカラシップにはフィールドワークとしての側面がある。

　わたしが最初にフィールドとして出会った文学作品は、テリー・テンペスト・ウィリアムス（写真4）著『鳥と砂漠と湖と』（写真5）である。原題の副題「家族と場所をめぐる不自然誌」が示す

一九五〇―。アメリカの黒人文学研究者。イェール大学、コーネル大学等で教え、一九九一年よりハーバード大学教授。

正典
文学史において基準として確立された作品をさす。何を基準にするかによって正典のとらえかたはことなる。黒人文学やフェミニズム文学への関心が高まるにつれ、旧来の白人男性作家中心の文学史が問われ、正典の見直しがすすんだ。

ナラティブ・スカラシップ
(narrative scholarship)
文学作品を分析する主体の経験を排除するのではなく、それを作品分析に織りこむ研究手法。一九九四年にスコット・スロヴィック氏が提唱した。

エコクリティシズム初期
エコクリティシズムの批評的関心と研究手法の変化を

写真6　セージブラッシュがおおうグレートベースン。写真はネヴァダとユタの州境で、後方の白っぽい箇所は、グレートソルト湖の西側に広がるアルカリ平地

写真7　セージブラッシュはネヴァダの州花でもある。まれに雨が降ったあとの荒野に立ちこめるセージの匂いは格別だ

ように、この作品のテーマは、（作家と重なる）語り手の家族と、「**拡大家族**」と形容されるほどかけがえのない存在である渡り鳥に体現された、不自然な歴史である。作家の家族をめぐる実話にもとづくという意味ではノンフィクションであるが、ウィリアムスは意図的に「クリエイティブ・ノンフィクション」ということばをもちいており、真実を書きあらわすうえでの創作（フィクション）の重要性を強調している。

　作品の舞台は、アメリカ西部に広がる荒野**グレートベースン**で、ここにはネヴァダ州のほぼすべてとユタ州の大部分がふくまれる（写真6）。**セージブラッシュ**と呼ばれる乾燥に強い木質多年草が遍在する荒野は、居住にも農業にも適さない不毛な土地とみなされてきた（写真7）。シエラネヴァダ山脈をこよなく愛し、自然保護の父といわれるジョン・ミューアですら、山脈の東側に広がるこの荒野に悪態をついたほどである。不毛とみなされるがゆえに、グレートベースンには、**ネヴァダ核実験場**や毒性廃棄

「波」にたとえ、一九九〇年代はじめ以降、約一〇年ごとにあたらしい波が打ち寄せたとみる動きがある。第一波は野性や原生自然への関心を特徴とし、第二波は環境正義など社会的構造との関連で環境をとらえ、第三波は脱西洋中心主義を掲げる。あたらしい波が打ち寄せても古い波は消えるわけではなく、新旧入り交じりながら変化するエコクリティシズムの特徴が「波」のイメージに託されているともいえる。

テリー・テンペスト・ウィリアムス
一九五五―。モルモン教家系の五世代目として、ユタ州ソルトレイクシティに生まれ育つ。祖母の影響で、グレートソルト湖岸の湿地に降り立つ鳥に親しみ、自然環境への関心をふかめた。ユタ大学で英米文学と生物学を専攻し、ナバホ族保留地で環境教育にたずさわっ

物処理場が建設されてきた（写真８）。そのいっぽうで、この荒野は、『鳥と砂漠と湖と』の語り手にとっては、五世代にわたって暮らしてきた家郷である。おそらくはネヴァダ核実験場での地上核実験による放射性物質の影響により、語り手の一族の女たちは次つぎに癌を患うのだが、女たちはもとよりモルモン教社会の構成員は連邦政府に抗議の声をあげようとはしない。その背景には、男／女だけでなく、主流キリスト教社会／モルモン教社会の権力構造がある。そもそも地上核実験は、人が多く居住するラスベガスやカリフォルニアに死の灰が飛ばないように、南東ないし南西から風が吹いている時をねらっておこなわれたという[3]。南西からの風が死の灰を運ぶ先には、ユタ州がある。

『鳥と砂漠と湖と』の語り手は、荒野を家郷とするモルモン教徒の女性であることから、東部（連邦政府）／西部（荒野）、主流キリスト教社会／モルモン教社会、男／女という二項対立的優劣構造において、何重にも劣位におかれた社会的弱者である。身体に癌をかかえた一族の女たちは、連邦政府にたいしても家族の男たちにたいしても従順を貫き、女たちのあいだでだけ秘密を共有し、死んでいった。そのような女性たちに接してきた語り手は、「モルモン教徒の五世代目の女性として、私はすべてを問わなければならない」と決意する。すべてを問うとはどういうことか。女たちが強いられてきた社会的抑圧を糾弾すると

写真８　ネヴァダ核実験場「立ち入り禁止」の看板

た。ユタ州立自然史博物館にキュレーターとして勤務した後、執筆に専念。夫のブルック・ウィリアムスとともに、ユタ州南部に広がる赤い砂岩の荒野に暮らす。一九九五年春に初来日し、滞在先の金沢と広島で、わたしはウィリアムスと時間をすごす機会に恵まれた（61ページ写真４）。散策したり食事をしたりしながら、作品、家族、自然などについて語りあった経験は、書かれたテクストに耳をかたむけることの意義に気づく重要な素地となった。

『鳥と砂漠と湖と』
Refuge: An Unnatural History of Family and Place
邦訳は石井倫代訳『鳥と砂漠と湖と』（宝島社）。

拡大家族
原文ではextended family。後述する「ファミリア」と相似するところがある。

写真9　ソルトレイクシティから北に車を走らせると、グレートソルト湖のベア川湾があり、湖畔にベア川渡り鳥保護区が広がる

いうことならば、優劣関係を揺さぶることはできるとしても、真の解放にはいたらない。仮に管理社会（ドゥルーズ）から自由な領域を野生と名づけるならば、すべてを問うという決意には、野生の公理がかかわっていると考えられる。

野生は管理社会内部には存在しない。『鳥と砂漠と湖と』の語り手が野生を経験するのは、グレートベースン、とりわけモルモン教徒の聖地ソルトレイクシティに隣接するグレートソルト湖が、その野生を誇示する時である。グレートソルト湖は、文字どおり巨大な塩湖で、飲用にも灌漑用にも使えないことから不毛で役に立たない湖とみなされているいっぽう、湖岸には湿地が広がり、渡り鳥が羽を休める場所となっている（写真9）。一九八〇年代なかば、大量の雪解け水が流入してグレートソルト湖が氾濫し、道路や街への水害を食いとめるために行政がポンプで水をくみあげるな

グレートベースン
西のシエラネヴァダ山脈、東のロッキー山脈のあいだに横たわる、文字どおり「大盆地」。ネヴァダ州のほぼ全州、ユタ州とオレゴン州の大部分、カリフォルニア州、アイダホ州、ワイオミング州の一部がふくまれる。乾燥した高原地帯で、川はあるものの海につながっておらず、湖が点在している。

セージブラッシュ
アメリカ西部の乾燥地域の在来植物。木質の低木で、葉を指でこするとさわやかな匂いがする。セージブラッシュの草陰は、ガラガラヘビにとって格好のかくれ場所である。ネヴァダ州の州花。

ジョン・ミューア
一八三八―一九一四。ナチュラリスト、作家、自然保護活動家。旅のとちゅうで

どの策を講じるが、水は一向に引かない。

この湖のようすに語り手は、人間が手なづけることのできない野生、あるいは人間に手なづけられることを拒む野生を見る。幼少期から鳥を介して親しんできたグレートソルト湖の真の磁力が、その野生にあることに気づいたのである。語り手を引きつけてやまない野生は、彼女が我を忘れるほどの魅力を放ち、彼女を文字どおり虜にする。その場面はこう綴られている。

いったん湖に出ればわたしは自由だ。わたしはここの原住民。風や波はリズムを深く打ちこむアフリカの太鼓のようだ。ここに棲む精霊がわたしにとりつき、わたしを支え、くるくる回転させる。グレートソルト湖はわたしを離さない精神的な磁石だ。教義がわたしを引きつけることはない。野生こそがわたしを引きつける。感情のらせん運動。アドレナリンなしの恍惚状態。わたしの髪はかき乱され、巻き毛は風に吹かれてうねり立つ白波のように顔や目にかかる。

風と波。風と波。塩水の匂いが肺のなかでひりひりする。くちびるにその味を感じとる。わたしはもっと塩水が、もっと塩が欲しい。濡れた手。わたしは濡れた指を舐め、湿り気がなくなるまでしゃぶる。目を閉じる。匂いと味がいっしょになり、わたしにグレートベースンでの愛の行為を思い起こさせる。荒野の暑さで汗をかいて滑りやすくなった肉体。風と波。吐息とうねり。

わたしは湖から身を離し、動きを止め、セージに覆われた聖地で安らぐ。[4]

シエラネヴァダ山脈とりわけヨセミテ渓谷と運命的な出会いをし、終生この地をこよなく愛した。科学者の観察眼とロマン主義的感性を特徴とするミューアの文章は全国誌に掲載され、自然保護への関心の醸成に大きな役割を果たした。

ネヴァダ核実験場
(Nevada Test Site) ラスベガスの北西約一〇〇キロに位置し、一九五一―九二年に地上核実験一〇〇回をふくむ九二八回の核実験がおこなわれた。二〇一〇年に「ネヴァダ国家安全保障施設」(Nevada National Security Site) に名称変更。

渡り鳥が羽を休める場所
グレートソルト湖畔の湿地は鳥類保護区に指定されており、ウィリアムスはとりわけ、幼少期からかよいつめたベア川渡り鳥保護区 (Bear River Migratory

この一節に描かれているのは、愛の交わりでなくてなんであろう。「もっと塩水」を、「もっと塩」をと気持ちが昂ぶる語り手の指を濡らす塩水は、湖の身体そのものである。それを恍惚としてしゃぶり、身体を反らす。愛の交わりが描かれているのは厳密にいえば第二段落であり、第一段落はそこにいたる説明的な描写、最後の段落（一文）は「湖から身を離し」た語り手の描写であるが、全体としてエロティックな雰囲気――後述するティモシー・モートンのいう「アンビエンス」――がかもしだされている。

「エロティック」はこの作家の文学的特徴を表す鍵概念であるとみてよい。エッセイやインタビューでウィリアムスはエロティックにかんする見解を示しており、それらを要約するとこうなる。エロティックはポルノグラフィックと混同されることがすくなくないが、両者は対照的な意味をもつ。エロティックが他なる生との関係において在る状態をさすのにたいし、ポルノグラフィックは、そうした関係を分断し、いっぽうが他方を所有的眼差しのもとに支配する状態をいう。

グレートソルト湖との、あるいはこの塩湖を一部とするグレートベースンとの愛の交わりが、人間と自然、あるいは文化と野生を、截然と分け隔てる管理社会から完全に解放された、野生との関係において在る人間を描いているのならば、その記述にも関係の痕跡が見いだされなければならない。そもそも愛の行為だけみれば、エロティックとポルノグラフィックの相違はきわどく、ウィリアムスの描写は誤解を招きかねない。説明的な記述をいっさいともなわずに、荒野におけるエロティックな関係が表出しているとすれば、それはどのような記述方法によるのか。

引用した一節は、描写というより〈うた〉である。通俗的な意味でではなく、物語と音

Bird Refuge）に親しみをもっていた。『鳥と砂漠と湖と』の原題 *Refuge* は「保護区」という意味で、これには鳥の保護区に加えて、家族の死と湖の氾濫という変化のなかで自分が守られる場所という意味が重ねられている。

ティモシー・モートン
一九六八―。ロンドン生まれ。ライス大学教授。イギリスのロマン派詩人シェリー、食問題、エコクリティシズムにかんする著作がある。「アンビエンス」は、著書『自然なきエコロジー』で提示された重要概念のひとつ。後述する石牟礼道子『苦海浄土』にも関連する概念であり、そこでくわしく論じる。

エッセイやインタビュー
エッセイの例として、"The Erotic Landscape"。インタビューとして Michael Austin, editor, *A Voice in*

楽が渾然一体とした、ある種の祈りともいえるものだ。このような〈うた〉は、アフリカやアジアやアメリカの原住民が太鼓を叩き地を舞いながらうたう〈うた〉と相似性があり、現に引用した一節では「アフリカの太鼓」への言及がさりげなく、けれども抜け目なく、添えられている。舞と楽器への言及、「風と波」のくり返しにみられるようなフレーズの反復、忘我と恍惚の描写は、近代的管理社会の自然観とは根本的に異質な環境観を表している。そのような口承文化の儀式と相似した要素がくみこまれているということに、環境との親密な関係を際立たせる技巧を指摘することができる。

しかしそれだけだろうか。『鳥と砂漠と湖と』には作家による朗読CDがあり、それを聴くとはっきりするが、引用した一節は、ほかの箇所とはことなり、官能的な音楽性に満ちている。全編が、乾いた荒野を連想させるウィリアムスのハスキーな声で朗読されているのだが、引用した箇所では突如として謳うような調子に変わる。この音楽性は、リズムによってだけでなく、通奏低音のようにひびく/s/という擦過音によっても高められている。日本語訳ではわかりにくいが、英語原文では、第一段落に spun, supported, obsessed, spirit, Salt, spiritual, spiral, ecstacy（ママ）、tossed, across, face, whitecaps, cresting、第二段落に smell, taste, lips, salt, fingers, sucking, smell, taste, Basin, slippery, sweat, sigh, surge、最後の段落では一文に rest, sanctuary, sage と、たたみかけるように/s/音をふくむ語が使われている。[5] 複数形の s をのぞいても、/s/音の連続は顕著である。野生との濃密な関係を語る一節に、口承文化の呪術性が喚起されているだけでなく、/s/音がひびいているということが、エロティックなアンビエンスの創出にかかわっているのではないか。

わたしは、『鳥と砂漠と湖と』を渡米前にくり返し読み、この/s/のサウンドスケープに

the Wilderness: Conversations with Terry Tempest Williams をあげておく。

うた
うたは、後述する石牟礼の文学実践においても重要な役割を果たしている。イルメラ・日地谷=キルシュネライト『〈女流〉放談』に収録されているインタビュー（一九八二年三月）で、石牟礼はアメリカ先住民やアフリカの例もふくめて、うたには「古い形の、（中略）物語とか、音楽とか、そういうものがもう、そのままポエム」であるような特徴があると述べている(92)。グレートベースンとの関係において在る語り手=ウィリアムスのうたが、太鼓と踊りをともなっていたように、石牟礼文学におけるうたも、鈴鉦（れいしょう）（苦海浄土第二部『神々の村』）や琵琶（『天湖』）等の楽器および舞と綯い交ぜになって

写真10　ネヴァダ州リノ郊外の荒野。勉強でつかれた頭をほぐすために、5ドルだけもってカジノ街へいくこともたびたびだったが、荒野へのドライブのほうが癒された

魅了されるいっぽうで、連続する/s/音の意味するところがどうしてもわからなかった。そのうちネヴァダに留学し、息ぬきをかねて街外れの荒野へたびたび赴いた（写真10）。カジノ街に隣接するキャンパスから三〇分も車を走らせれば、人の気配がなく風の音しか聞こえない荒野が広がる。ある日、路肩に車をとめ、セージブラッシュにおおわれた荒野を風に吹かれながら歩いていた時、疑問が解けた。
　/s/音は、グレートベースンの**基調音**だったのだ。

どの場所にも、地理的条件や気候によって決定される基調音がある。それは、人の知覚にはたらきかけ、その人の気分や行動を規定する要因のひとつであるという。海辺では波の音、都市では機械の低くうなる音がそうだ。グレートベースンの基調音は風の音である。見わたすかぎり空と大地が広がる荒野には、セージブラッシュをこすりながら風が吹きぬける音が充ちている。
　グレートベースンとの関係を語るウィリアムスのことばは、グレートベースンの基調音――すなわち土地の音――をともなっている。荒野との関係を描く時、ウィリアムスは荒野について語ってはいない。何かについて語る時には、それを対象化するための距離が必要である。荒野との関係において在るということは、荒野との一体化ではなく、ことな

いる。また、石牟礼文学にふかい影響をおよぼしていると目される浄瑠璃も、琵琶と人形遣い（踊り）と語りが一体となったものである。

反復
生の循環のリズムである反復は、口承文化の重要な特徴である。反復は呪術性をもち、口承文化におけるうたや儀式に不可欠な技巧である。なお、環境文学を反復の観点から論じた研究に、山田悠介『反復のレトリック』がある。

サウンドスケープ
カナダの現代音楽作曲家で環境思想家のR・マリー・シェーファーによって提唱された概念で、「音（の）風景」とも訳される。一九六〇年代末にシェーファーは、西洋近代音楽の制度からの解放と、騒音問題をはじめとする社会的問題の解決を模索

る存在とからみあっているということだ。荒野との愛の行為は、ウィリアムスの紡ぐことばと荒野の基調音とのからみあい――/s/音のサウンドスケープ――としても表出しているのである。

Ⅱ　矛盾が共存する世界

日本の代表的な環境文学の作品は何かと問われたら、わたしは迷うことなく石牟礼道子著『苦海浄土　わが水俣病』をあげる（写真11）。『苦海浄土』を環境文学とみなすことに批判的なむきもあるが、そうした批判は往々にして、環境文学が環境問題をあつかった文学であるという誤解にもとづいているように見受けられる。環境問題をとりあげるという一面はあるにせよ、環境文学はそれに限定されるものではなく、人間と環境の関係をテーマとするものならなんでも――小説、詩、ノンフィクションエッセイ、戯曲はもちろん、メディア表象なども――ふくまれる。また、環境文学は、環境問題を背景に書かれている点で、万葉集など自然を詠んだ作品とはことなる、独立した分野であることも、強調しておきたい。

環境文学には環境問題にたいする危機意識がか

写真11　『苦海浄土』初版（1969）と改定文庫版（1972）は、写真の有無をはじめ、ちがいがすくなくない

するなかで、この概念にたどり着いた。サウンドスケープという概念には、視覚偏重の社会の見直しと、それにもとづく感覚の再編成をうながす役割が期待されている。

基調音（keynote sound）サウンドスケープ用語のひとつで、ある環境においてつねに聴こえているいっぽうで、ほとんど意識されていない音。

石牟礼道子
一九二七—二〇一八。詩人、作家。水俣病問題に徹底的にかかわり、人間であることの意味を考えぬいて、方言をもちいた独自の文学的手法で表現した。東日本大震災後、混迷する時代の拠りどころとして再評価され、ある種の石牟礼ブームが生じた。〈苦海浄土〉三部作は池澤夏樹個人編集による世界文学全集（河出書房新社）に収められ、世界文学かわっている。ただし、何を問題化するかによって書き手の見地や反応のしかたはことなる。一般的に環境問題にたいする危機感が啓蒙的言動につながることがすくなくないためか、環境文学という用語から啓蒙的で政治的な作品を連想するむきがあることは否めない。環境ということばにはある種の先入観がつきまとう。『苦海浄土』を環境文学とみなすことへの抵抗や批判は、そのような先入観によるのだろう。たしかに、『苦海浄土』には、毒性廃液を海に垂れ流しつづけた企業や、水俣病患者と真摯にむきあわない行政にたいする批判が書きこまれてはいるが、しかし、危機感がむけられた先は通俗的な意味での環境問題ではない。

生涯水俣病問題にたずさわった石牟礼の関心は、とりわけ人間の問題にむけられていた。『苦海浄土』は、石牟礼にとっては「誰よりも自分自身に語り聞かせる、浄瑠璃のごときもの」であったと告白されている。[6]『苦海浄土』改稿版の解説で渡辺京二は、「現実から拒まれた人間」のふかい断念と彼らの幻視する世界の美しさが『苦海浄土』を特徴づけていると指摘しているが、[7]これは、まさしく浄瑠璃のように、語られている人物の世界が場所や時代や境遇のちがいをこえて共感を招ぶ、『苦海浄土』の核心をいいあてている。二〇一八年の「石牟礼大学」で、登壇した伊藤比呂美、高橋睦郎、三浦しをんの話が『苦海浄土』と近松門左衛門の浄瑠璃の相似性におよんだ際、「石牟礼さんの表現は、風景描写とか、空気感まで伝わってくるところがすごい」と高橋は述べている。浄瑠璃で語られている世界の「空気感」が伝わった観客は、身分が高かろうと低かろうと、円満な結婚生活をおくっていようといまいと、心中する男女に心の底から共感する。同じように、水俣病の苦しみを経験しているわけではない現代の読者は、患者救済にたずさわりたいと水俣にむ

としての評価も高まっている。

『苦海浄土　わが水俣病』
初版一九六九年、改稿版一九七二年刊行。〈苦海浄土〉三部作の第一部。

渡辺京二
一九三〇—。熊本市在住の思想史家、評論家。一九六五年にみずからが主宰する雑誌『熊本風土記』を創刊し、資金難による休刊までの一年間に『苦海浄土』の原型となる「海と空のあいだに」を八回連載した。その後、半世紀以上にわたって、石牟礼の手書き原稿の清書や編集をおこない、石牟礼の文学活動を全面的に支えた。おもな著作に、『逝きし世の面影』(和辻哲郎文化賞)、『黒船前夜』(大佛次郎賞)、『バテレンの世紀』(読売文学賞)、『渡辺京二評論集成』Ⅰ—Ⅳがある。

かう人が続出するほど、『苦海浄土』に心を揺さぶられる。

水俣病患者の呼吸する世界に読者が没入し、同じ世界で呼吸しているかのような気持ちにさせる『苦海浄土』の「空気感」は、ティモシー・モートンならば「アンビエンス」というだろう。「アンビエンス」は、辞書では「場所の雰囲気」と定義されるが、モートンはこれを、世界の感触という意味でもちい、環境破壊の根底にある主体と客体の二元論的な意識状態をくずす、詩的な意識状態をうながすものとしている。『自然なきエコロジー』でモートンは、アンビエンスが「なんとなく触れることのできないものでありながら、あたかも空間そのものに物質的な側面があるかのごとく（中略）物質的であり物理的でもあ」り[8]、あらゆるイデオロギーから解放された集散性をもたらしうると記している。モートンは言及していないが、階級、人種、性別、思想のちがいをこえて水俣病患者へのふかい共感を招ぶ『苦海浄土』は、アンビエンスの詩学を血肉化した作品とみなすことができる。

『苦海浄土』に登場する水俣病患者のなかでも、「坂上ゆき」はとりわけ印象ぶかい。ゆきは、石牟礼がはじめて表現化を試みた水俣病患者で、初出は『サークル村』所収の「奇病」である。「三つ子のころから舟の上で育った」ゆきが、チッソ水俣工場から排出された毒性廃液により海が汚染され水俣で魚がとれなくなった時期でも、「わが庭のごたる」沖合に夫の茂平と舟を出し、魚をとって食べる日々を回想する場面は、おそらく『苦海浄土』からもっとも引用される一節であろう。

　舟の上はほんによかった。

石牟礼大学
石牟礼文学を読み解くことを目的に、詩人の伊藤比呂美を中心とする熊本文学隊が企画・運営し、年一回熊本市内で開催されるシンポジウム。毎回の司会をつとめる伊藤のほか、これまでの登壇者は、渡辺京二、ジェフリー・アングルス、谷口絹枝（第一回目、二〇一四年）、池澤夏樹、浪床敬子（第二回目）、高橋源一郎、町田康（第三回目）、平松洋子、枝元なほみ（第四回目）、高橋睦郎、三浦しをん（第五回目）。

『自然なきエコロジー』
Ecology without Nature
この研究書でモートンは、自然を実体として素朴に措定することの批評的問題をあぶりだし、「自然（という概念）なきエコロジー」を提唱した。ロマン主義的エコクリティシズムにみられる、二元論から全体論にむかう傾向を批判し、批評

イカ奴は素っ気のうて、揚げるとすぐにぷうぷう墨ふきかけよるばってん、あのタコは、タコ奴はほんにもぞかとばい。

壺ば揚ぐるでしょうが。足ばちゃんと壺の底に踏んばって上目使うて、いつまでも出てこん。こら、おまや舟にあがったら出ておるもんじゃ、早う出てけえ。出てこんかい、ちゅうてもなかなか出てこん。壺の底をかんかん叩いても駄々こねて。仕方なしに手網の柄で尻をかかえてやると、出たが最後、その逃げ足の早さ早さ。ようも八本足のもつれもせずして良う交して、つうつう走りよる。こっちも舟がひっくり返るくらいに追っかけて、やっと籠におさめてまた舟をやりおる。また籠を出てきよって籠の屋根にかしこまって坐っとる。こら、おまやもううち家の舟にあがってからはうち家の者じゃけん、ちゃあんと入っとれちゅうと、よそむくような目つきして、すねてあまえとるじゃけん。

わが食う魚にも海のものには煩悩のわく。あのころはほんによかった。(9)

中枢神経を侵された水俣病患者のゆきが、このように饒舌に話すことなどできるはずはない。先に言及した渡辺による解説で周知のものとなったように、読者が目にするのは、患者が「心の中で言っていること」を石牟礼が言語化したものにほかならない(10)。といっても、作家が水俣病患者を代弁しているというわけでもない。わたしたちが読んでいるのは、石牟礼によって言語化されたゆきの心のうちなのか、それとも、ゆきに仮託して語られる石牟礼の心象風景なのか。それが判然としない書きぶりに、『苦海浄土』の独自性があり、ほかに類のない文学的技巧が秘められている。

水俣病患者の世界のアンビエンスはどのように創出されているのだろうか。それを考え

する主体は「主—客体とダンスを踊る」べきであると主張した。この考えは「ダークエコロジー」として理論化された。

『サークル村』
九州の炭鉱労働運動とかかわりのふかい文化交流誌。一九五八年九月創刊、六一年休刊。

「奇病」
ルポルタージュという分類で『サークル村』(一九六〇年一月号)に掲載された。改稿を経て、「坂上ゆき」のモデルである川上タマノの写真入りで『苦海浄土』初版の第三章「ゆき女きき書き」にくみこまれた。改稿版では写真が削除され、「奇病」のルポルタージュ性はみられない。

煩悩
『苦海浄土』に頻出することばで、石牟礼によれば、水俣や天草で使われている

るためには、坂上ゆきの語りが方言で書かれているということの意味を検討しなければならない。周知のとおり、『苦海浄土』でもちいられる方言は、不知火海沿岸で話される方言を忠実に文字に再現したものではなく、元来話しことばである方言の本質——方言を方言たらしめているもの——が文字化されても失われないように石牟礼が独自に加工したもので、「道子弁」とも呼ばれる。そうまでして石牟礼が方言にこだわるのは、漁夫の世界は漁夫のことばでしか語れないという信条があるからだ。石牟礼の描く漁夫は、文字を必要としない、いわば話しことばの世界に生きている。実際にそうだったかどうかはべつとして、石牟礼の文学世界ではそのように設定されている。それは意図的なものとみてよいだろう。文字すなわち書きことばは標準語であり、標準語は均質性を特徴とする。日常的に方言を話す人も、書く時には標準語を使う、あるいは使わざるをえない。方言は、文字にすると読めないことばである。水俣の住人によれば、ふだん話す水俣弁は文字にすると読めないが、石牟礼が書いた方言は読めるという。方言の本質が保存されているという点で、『苦海浄土』の方言は、不知火海沿岸の生活言語であり、漁夫のことばである。

話しことばと書きことば、方言と標準語の、それぞれのあいだの相違は、アメリカの文化史家ウォルター・J・オングがいうところの「声の文化」と「文字の文化」の相違と同じではないにせよ類するところがある。オングが論じるように、声の文化と文字の文化の相違が世界観の断絶を意味するとすれば、水俣病患者（そのほとんどが沿岸に暮らす漁夫とその家族であった）の方言と、近代国家（地元で「会社」と呼ばれるチッソ水俣工場はそれを象徴する）の標準語の対比が意味するのは、両者の底知れぬ隔たりである。ただし、その隔たりを生みだしたのは近代国家権力であり、漁夫は、水俣病発生後も「会社」への親し

「煩悩」ということばには独特の意味合いがある。石牟礼の説明を引こう。

煩悩が深い、とふつう言いますときは、煩悩の虜となって、がんじがらめの困った状態をいうのではないでしょうか。がんじがらめの状態から脱け出せないでいて救われないと。そういう含みで、ふつうは言われていると思うのですけれども、「煩悩じゃぁもんなぁ、あの人は（あの人に）」とわたしどもの地方で言います時に、特別情愛の深い人のことをさして申しましたり、並々ならぬ情愛をかけられている存在のことを、一種嘆息まじりに申します。けれども情愛をかけているとは言わず、「煩悩じゃ」というのです。（中略）

男女間のことには、煩悩じゃあとは言いませんのです。男女間の煩悩はまず他者には視えませんので、ことさら煩悩とは言わないの

みと誇りを変わらずもちつづけた。それが事実であるかどうかはべつとして、石牟礼は、水俣病患者とその家族に、「会社」や役人を抱きとめるかのような懐のふかさを描きこんでいる。胎児性水俣病の孫をふくむ六人家族の柱である江津野老人は、我がことのように目を細めてチッソの発展をひとしきり話したあと、「妙なこころもちじゃあるが、会社にゃ煩悩の深かわけでござす」と語る。[11] 離縁されて西方ゆきとなった坂上ゆきは、病院を訪問した園田厚相一行を前に、痙攣した身体を医者に押さえつけられながらも、「て、ん、のう、へい、か、ばんざい」と絶叫する。[12]

　石牟礼は水俣病患者を「棄民」と呼ぶ。このことに、一地方のそのさらに周縁の漁夫たちに犠牲を強いた近代国家のふるまいにたいする石牟礼の批判や怒りが表れており、そのような態度は『苦海浄土』にも明確に表明されている。そのいっぽうで、坂上ゆきの語りのような、人の世の哀しみを知りつくした者が幻視する世界の、美しいとしか表現できないような描写が随所に織りこまれ、読む者の心を揺さぶる。坂上ゆきにせよ、江津野老人にせよ、漁村の人びとの語りに心を動かされない者はいないだろう。そこに国家権力にたいする怒りや、近代化の犠牲になった人びとへの憐憫がかかわっているとしても、それらを超越して、純粋に心が揺さぶられる瞬間がある。このことに水俣病患者のことば＝方言がかかわっていることは確認できたが、では、方言によって何が語られているのか。

　坂上ゆきの回想で語られているのは、水俣病罹患以前の、毎日舟を出していたころの日常である。しかけた蛸壺を舟にあげる。なかなか壺から出てこないタコをなだめすかして出そうとする。そのようなゆきは、駄々をこねる幼子を相手にしている母親のように見えなくもない。そのいっぽうで、「わが食う魚(いお)にも海のものには煩悩のわく」と語られる人

かもしれません。情愛の濃さをいっぽう的に注いでいる状態、全身的に包んでいて、相手に負担をかけさせない慈愛のようなもの、それを注ぐ心の核になっていて、その人自身を生かしているものを煩悩というのです。(『名残の世』144～145ページ)

ウォルター・J・オング　一九一二―二〇〇三。アメリカの文化史家、哲学者、イエズス会神父。メディア論の先駆者。セントルイス大学に提出したG・M・ホプキングの詩のリズムにかんする修士論文は若き（ほぼ同年の）マーシャル・マクルーハンの指導を受けた。ハーバード大学で博士号取得。セントルイス大学名誉教授。主要著書に『声の文化と文字の文化』がある。

と魚の関係は、食べてしまいたいほどかわいいという表現と似ているようでありながら、比喩ではなく実際に食べるという点で、ある種の違和感をいだかせる。慈しんできたものを食べるということは、かわいがっている動物を食べることが残忍な行為とみなされる現代社会では受け入れがたいものである。しかし、小説家ジョン・バージャーによれば、動物に愛情をそそぐこととそれを食べることが矛盾するようになったのは、そうむかしのことではない。

動物は従属するものであり〈そして〉崇めるものであり、飼育するものであり〈そして〉生贄となるものであった。
今日でもこの二元論のなごりは、動物と近しく生活し彼らに依存している人々の間に残っている。農夫は自分の豚をかわいがり、そしてその肉を喜んで塩漬けにする。ここで重要であり、そして都会に住む異邦人に理解し難いのは、この文が〈しかし〉ということばではなく〈そして〉ということばによって結ばれていることである。[13]

バージャーのいう農夫（英語ではpeasant）は、家族内で生産と消費が自律的に完結することを特徴とし、基本的に自分たちの食べるものは自分たちで生産する。この点は、『苦海浄土』の漁村の人びとも同じである。農夫にとって、動物を慈しむことと食べることが矛盾しないように、坂上ゆきは、自分がとるタコに「もぞか」（かわいい）という感情をいだき、〈そして〉食べる。家でペットの動物をかわいがり、スーパーでパック詰めされた肉を買って食べる者から見れば、動物をかわいがることとそれを食べることは対立する

ジョン・バージャー
一九二六―二〇一七。ロンドン生まれ。小説家、美術評論家。小説『G』でブッカー賞受賞。農夫という階級が工業化社会の進歩主義の波で消されようとしていることに危機感をいだき、一九七四年にフランス東部のオート＝サヴォアに移住して以来、農夫と日常をともにし、農夫に体現された「生存の文化」を書きとめてきた。その点で、バージャーの農夫への眼差しと石牟礼の漁夫への眼差しは相似している。

事象であり、接続詞は〈しかし〉でなければならない。バージャーはいう。「農夫の考え方は二元論的で、矛盾する言動が共存している。論理学者が〈しかし〉ということばをもちいる場面で農夫は〈そして〉を使う」[14]。対立を前提とする〈しかし〉ということばを農夫が使わないのは、彼らが対立のロジックと疎遠であるからにほかならない。「生まれて、生きて、死ぬという循環に日常的に触れている」農夫にとって、生活とはある目的によって理由づけられるものではなく、「幕間」である[15]。農夫にとって、生と死、昼と夜、冬と夏、雨天と晴天は、対立関係にない。それらは循環と反復として経験される。さらに、知と未知も拮抗しておらず、未知が克服や脅威の対象とはみなされない。バージャーはいう。「農夫が体現する知は、外部者からすれば迷信や魔術とみなされるものにふくまれる場合もある。自身の経験の広さゆえに、農夫にとって、目的因は信じるに値しない」[16]。矛盾するものが共存する〈そして〉のロジックが「経験の広さ」に依拠しているのであれば、そのようなロジックが受け入れられない現代社会は、アメリカのネイチャーライター、ロバート・マイケル・パイルがいう「経験の絶滅」に直面しているといえる。

　先に述べたように、バージャーの論じる農夫は、生産と消費が自律的に完結する家族を単位とする。これは、上野千鶴子が解説する「ドムス」と、それに依拠して文芸評論家の**生田武志**が着目する「ファミリア」に相似する。上野を引きながら生田はこう述べる。ドムスとは、近代以前の社会における「生産・再生産の自律性が完結するような単位」であり、そこに住む者を「ファミリア」という。そもそも牛や豚などの家畜や奴隷なしでは「生産・再生産の自律性が完結」しないのであるから、ファミリアには当然、「奴隷から家畜まで含」まれる。ファミリアは、近代的な家族という意味の「ファミリー」とはことな

生田武志
一九六四―。文芸評論家、社会運動家。同志社大学在学中から釜ヶ崎にかよい、日雇い労働運動や野宿者支援活動にかかわる。野宿者ネットワーク代表。著書に『〈野宿者襲撃〉論』、『釜ヶ崎から』などがある。

写真12　水俣病が公式確認された坪段（坪谷）。縁側から釣り糸を垂れることができるほど、海が近い

る。ファミリアでは、牛や馬や豚をはじめとする動物は、それぞれ労働を担う一員であり、ファミリアの一員としてかわいがられた。そして、この「ファミリアの一員」である動物を殺して食べることは「当たり前」だった。[17]

かつて、家の動物を「かわいがることと食べること」は一体のものでした。しかし、それはいま「かわいがる」＝「家庭動物」と「食べる（屠殺する）」＝「経済動物」へと分化しました。「家族の一員」であるペットを傷つけることが「犯罪」とみなされるようになったいっぽう、「食べる」家畜について、わたしたちはその屠畜やその生に「無関心」になったのです。[18]

坂上ゆきとタコの関係もファミリアという概念で説明できる。「わが食う魚にも煩悩のわく」というゆきのことばは、人と生きものが同じファミリアの一員である者の価値観にもとづいている。〈そして〉のロジックでは、人間と動物は相互依存的に共存しており、人間／動物、かわいがる／食べるという二元論に対立的な意味合いはない。〈しかし〉のロジックになれてしまった者には実感しがたいが、〈そして〉が体現する共存の二元論は、二〇世紀なかばになっても沖縄をはじめ各地に息づいていたと生田は述べている。

農夫の場合、敷地に母屋、納屋、馬小屋、豚小屋、畑などがある光景をファミリアの場として思い描くことができるが、漁夫の場合はどうだろうか。『苦海浄土』で石牟礼は「庭」ということばに独特の意味合いをもたせている。不知火海を「わが庭のごたる」と形容する坂上ゆきだけでなく、『苦海浄土』では漁村の人びと――水俣病患者のほとんどが漁村に住んでいた――にとって、海は〝わが庭〟である（前ページ写真12）。

> 不知火海を漁師たちは〝わが庭〟と呼ぶ。だからここに、天草の石工の村に生まれて天草を出て、腕ききの石工になったものの、〝庭〟のへりに家を建て、家の縁側から釣り糸を垂れて、朝夕のだれやみ用の肴を採ることを一生の念願として、念願かなって明神ガ鼻の〝庭〟のへりに家を建て、朝夕縁先から釣り糸を垂らしていて、初期発病患者となって死亡した男がいても、庭に有機水銀があるかぎり不思議ではなかった。[19]

「庭に有機水銀があるかぎり」水俣病を発症しても不思議でないのは、庭＝海がファミリアの場であり、水銀汚染でさえ断ち切ることができないほど、揺るぎない親密さで人と生きものがかかわっていたからにほかならない。引用した一節の数ページ後、「水俣病わかめといえど春の味覚。そうおもいわたくしは味噌汁を作る」という一文が加わるのだが、

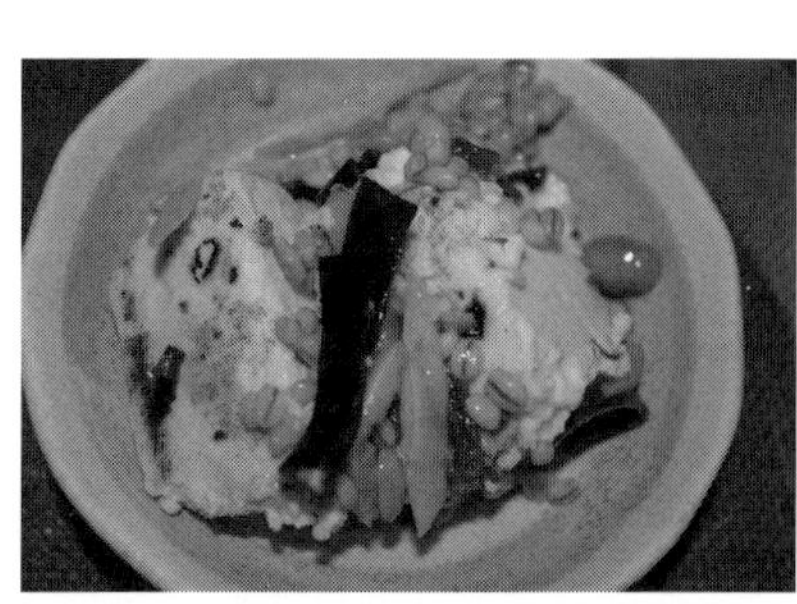

写真13　訪問時に出された石牟礼氏特製の麦もろみ味噌づけ豆腐（これにかんする石牟礼氏のこだわりについては、拙著『他火のほうへ』所収のインタビューを参照されたい）。帰り際、タッパいっぱいもたせてくれた

ここには、漁夫の価値観にたいする石牟礼の共感がみてとれる。後に石牟礼は、漁師たちが疑わずに「水俣病わかめ」を食べているので、「どういう味だろうと思い」自分も食べてみたと語っている――「半分は吐き出しましたけれどもね」[20]。

　海をわが庭とする漁村のファミリアは、〈そして〉のロジックを生きる者、すなわち漁夫のことばでしか語ることができない。先に坂上ゆきの語りを引用した時、それが、ゆきの「心の中で言っていること」を石牟礼が文字にしたものなのか、それとも、ゆきに仮託して語られた石牟礼の心象風景なのか、その区別が判然としないと述べたが、石牟礼自身がファミリアの公理に寄り添っていなければ、そのような文学空間は創出されえなかっただろう。

　天草生まれの石牟礼は、生後まもなく家族とともに水俣へうつり、四〇代なかばで熊本市内に仕事場をもつまで水俣で暮らした。祖父の事業の失敗により生活は苦しかったものの、海や山ですごした日々は生きものとの交感で満たされていた。二〇一二年二月二〇日、わたしは、パーキンソン病で身体の自由がきかない石牟礼に無理をいって一時間の面会を許可してもらい、当時とり組んでいた食と文学というテーマで質問事項を用意し、熊本の仕事場をたずねた（写真13）。その日は二月とは思えない陽気で、話はおのずと春のこと

写真14　水俣病資料館の敷地から草道をおりていくと、明神海岸に出る。潮だまりは、貝や磯の生きもので満ちていた

になった。春は芽吹きの季節で、山で「草摘み」をしたい、渚でアオサやひじきをとりたい、と石牟礼はくり返し語った。いまから思えば、その姿は、坂上ゆきが「舟の上はほんによかった」と心の底から懐かしむようすと重なる。石牟礼にとって、幼少期から親しんだ渚や山は「わが庭」であり、海や山のものを慈しむこととそれらを食べることは矛盾しない。そのことは、自伝的作品『椿の海の記』にも読みとれる。

> あした、あさりご飯をつくろうとおもえば今日、あさりを採りにゆく。すると、あさりだけでなく、アオサも巻貝(びな)の類もはまぐりも潮吹き貝もぶう貝も、ひじきまで採ってくる。欲ばって採ってくるのでなしに、採って帰らぬと、海の中の貝たちの人口がふえてふえて、うじゃうじゃになりはせぬかとおもうくらいに、もうそこらじゅうにいるのだったから。[21]

語り手がとっているのは貝や海藻ではない。ねらいは「あさり」だが、それをとっていると自然と「アオサも巻貝の類もはまぐりも潮吹き貝もぶう貝も」視野に入り、それらがとってくれとばかりに語り手に訴えかける。この情景は、貝や海藻という分類用語を使用すれば、たちまち生気を失うであろう。貝をとるというのと、あさりやはまぐりやぶう貝をとるというのとでは、距離感も雰囲気もことなる（写真14）。
モートンがいうように、環境について語ることには美学や倫理や政治がともなう。環境について書くことは、必然的に環境との距離を必要とする。逆にいえば、環境に没入している者に、「環境」（という概念）は存在しない。先述したように引用した一節で石牟礼は貝について書いてはいない。あさりやアオサやぶう貝を相手にしている石牟礼に、貝や海藻という概念は存在しない。そして、あさりやアオサとの距離の近さは、海とその生きものへの慈しみのふかさと連動している。「採って帰らぬと、海の中の貝たちの人口がふえてふえて、うじゃうじゃになりはせぬかと」心配するのは、海への情愛がふかいからである。遠方から時間とお金をかけて来た人であれば、採算が取れるよう、とれるだけとることだろう。その人にとって、貝や海藻は、それをとるためについやした時間や金銭と等しい。石牟礼と海とのあいだには、そのような経済的基準は存在しない。あさりやはまぐりや潮吹き貝を慈しみ、手をかけ、食べる石牟礼にとって、ファミリアの公理は身近なものだったにちがいない。

身体の麻痺に加えて差別と不公正にも苦しめられた水俣病患者の世界が、石牟礼の筆にかかると美しく感じられるのは、石牟礼自身が彼らの公理を共有しているからではないだろうか。ファミリアの公理は、工業的アグリビジネスの台頭にともない農夫や漁夫が消え去るとともに絶えた。石牟礼は、そうした失われた世界について書いてはいない。その世界のアンビエンスを文学的に表現しているのである。話しことばである方言を読めるかたちに加工したように、石牟礼は、水俣病患者の世界を、ファミリアの公理とは疎遠な読者にも伝わるよう翻訳しているのである。水俣病患者の世界の美しさと哀しみを呼吸するとき、読み手は、彼らの経験の広さと懐のふかさに圧倒され、自然だと思っているものがほりくずされるのを感じる。

冒頭で、わたしたちは何を根拠に〈よい〉という価値判断をしているのか、と問うた。樹木の生い茂った緑ゆたかな森はよくて、岩肌をさらす荒野は不毛なのか。ペットと害獣の線引きはどのような価値観にもとづいてなされるのか。また、海や土壌が有害物質に汚染された時、そのような環境でとれた魚や野菜を食べないことがよくて、食べるのは論外なのか。

この最後の点は、〈そして〉のロジックがつきつける挑戦である。チッソ水俣工場が無処理で排出した有機水銀をふくむ廃液によって、海が汚染され、その海に生息する魚介類が汚染され、魚や貝や海藻を日常的に多食していた人が中枢神経を侵され、水俣病を発症した。大学の授業で『苦海浄土』を読むと、必ずといってよいほど学生から、汚染されているとわかっていたのになぜ漁夫たちは魚を食べたのか、という疑問の声があがる。リスクということばをもちいずとも、有機水銀で汚染された魚が危険だということはだれもが知っている。

しかし、『苦海浄土』のアンビエンスにのみこまれると、「なぜ」のむかう先が変わる。なぜ漁村の人びとは汚染されていると知りながら魚を食べつづけたのか、という問いが退き、なぜそのような漁夫の行為に違和感をいだくのか、と自問しはじめる。足元がぐらつき、思考が揺さぶられる。矛盾が共存する世界に身を投じる。

こうしてエコクリティシズムの舞踏がはじまる。

〈引用・参考文献・ウェブサイト〉

（1）対談の注を参照
（2）対談の注を参照
（3）春名幹男『ヒバクシャ・イン・USA』岩波書店　一九八五年　120―121ページ
（4）ウィリアムス、テリー・テンペスト『鳥と砂漠と湖と』石井倫代訳　宝島社　一九九五年　292ページ　既訳に一部変更を加えた。
（5）Williams, Terry Tempest (1992) *Refuge: An Unnatural History of Family and Place*. Vintage, p. 240.
（6）石牟礼道子『苦海浄土　わが水俣病』（新装版）講談社　二〇〇四年　362ページ
（7）渡辺京二「（解説）石牟礼道子の世界」石牟礼『苦海浄土』385ページ
（8）モートン、ティモシー『自然なきエコロジー　来たるべき環境哲学に向けて』篠原雅武訳　以文社　二〇一八年　66ページ
（9）石牟礼道子『苦海浄土　わが水俣病』154―155ページ
（10）渡辺京二「（解説）石牟礼道子の世界」石牟礼『苦海浄土』368―371ページ
（11）石牟礼道子『苦海浄土　わが水俣病』225ページ
（12）同右　341ページ
（13）バージャー、ジョン『見るということ』飯沢耕太郎監修　笠原美智子訳　筑摩書房　二〇〇五年　15ページ
（14）Berger, John (1978) Towards understanding peasant experience. *Race & Class* 19 (4), p. 346.
（15）同右　349ページ
（16）同右　350ページ
（17）生田武志『いのちへの礼儀　国家・資本・家族の変容と動物たち』筑摩書房　二〇一九年　53―54ページ
（18）同右　81ページ
（19）石牟礼道子『苦海浄土　わが水俣病』283ページ
（20）結城正美『他火のほうへ　食と文学のインターフェイス』水声社　二〇一二年　32ページ
（21）石牟礼道子『椿の海の記』河出書房新社　二〇一三年　130ページ

赤坂憲雄『性食考』岩波書店　二〇一七年
生田武志『いのちへの礼儀　国家・資本・家族の変容と動物たち』筑摩書房　二〇一九年
池澤夏樹「（解説）不知火海の古代と近代」石牟礼道子『苦海浄土』（池澤夏樹＝個人編集　世界文学全集　第3集）

河出書房新社　二〇一一年　757―771ページ
石牟礼道子『天湖』毎日新聞社　一九九七年
石牟礼道子「名残の世」吉本隆明・桶谷秀昭・石牟礼道子『親鸞　不知火よりのことづて』平凡社　一九九五年　129―182ページ
伊藤比呂美・高橋睦郎・三浦しをん「（鼎談）没後一年　いま石牟礼道子をよむ」『文學界』73（2）二〇一九年　185―195ページ
色川大吉編『水俣の啓示　不知火海総合調査報告』（上・下）筑摩書房　一九八三年
オング、W・J『声の文化と文字の文化』桜井直文・林正寛・糟谷啓介訳　藤原書店　一九九一年
岡本達明『水俣病の民衆史』第二巻（奇病時代　1955–1958）日本評論社　二〇一五年
小谷一明・巴山岳人・結城正美・豊里真弓・喜納育江編『文学から環境を考える　エコクリティシズムガイドブック』勉誠出版　二〇一四年
塩田弘・松永京子・浅井千晶・伊藤詔子・大野美砂・上岡克己・藤江啓子編『エコクリティシズムの波を超えて　人新世の世界を生きる』音羽書房鶴見書店　二〇一七年
篠原雅武『複数性のエコロジー　人間ならざるものの環境哲学』以文社　二〇一六年
スロヴィック、スコット・野田研一編著『アメリカ文学の〈自然〉を読む　ネイチャーライティングの世界へ』ミネルヴァ書房　一九九六年
中村邦生『〈虚言〉の領域　反人生処方としての文学』ミネルヴァ書房　二〇〇四年
野田研一『失われるのは、ぼくらのほうだ　自然・沈黙・他者』水声社　二〇一六年
野田研一編著『〈交感〉自然・環境に呼応する心』ミネルヴァ書房　二〇一七年
日地谷＝キルシュネライト、イルメラ『〈女流〉放談　昭和を生きた女性作家たち』岩波書店　二〇一八年
山田悠介『反復のレトリック　梨木香歩と石牟礼道子と』水声社　二〇一八年
結城正美『水の音の記憶　エコクリティシズムの試み』水声社　二〇一〇年
渡辺京二「（解説）石牟礼道子の世界」石牟礼『苦海浄土』364―386ページ
Austin, Michael, ed. (2006) *A Voice in the Wilderness: Conversations with Terry Tempest Williams*. Utah State University Press.
Berger, John (1978) Towards understanding peasant experience. *Race & Class* 19 (4), pp. 345-359.
Glotfelty, Cheryll and Harold Fromm (1996) *The Ecocriticism Reader: Landmarks in Literary Ecology*. University of Georgia Press.
Garrard, Greg (2012) *Ecocriticism*. 2nd edition, Routledge.

Morton, Timothy (2007) *Ecology without Nature: Rethinking Environmental Aesthetics*. Harvard University Press.〔邦訳は前掲のモートン〕

Muir, John (1993 [1894]) *The Mountains of California*. Penguin.

Ong, Walter J (1982) *Orality and Literacy: The Technologizing of the Word*. Routledge.〔邦訳は前掲のオング〕

Poerksen, Uwe (1995) *Plastic Words: The Tyranny of a Modular Language*. Translated by Jutta Mason and David Cayley. Pennsylvania State University Press.〔U・ペルクゼン『プラスチック・ワード　歴史を喪失したことばの蔓延』糟谷啓介訳　藤原書店　二〇〇七年〕

Pyle, Robert Michael (1993) "The Extinction of Experience." Reprinted in *City Wild: Essays and Stories About Urban Nature*. Edited by Terrell F. Dixon, University of Georgia Press, 2002, pp. 257-267.

Slovic, Scott. (1994) "Ecocriticism: Storytelling, Values, Communication, Contact." Reprinted in *Going Away to Think: Engagement, Retreat, and Ecocritical Responsibility*. University of Nevada Press, 2008, pp. 27-30.

— (2016) "Narrative Scholarship as an American Contribution to Global Ecocriticism." *Handbook of Ecocriticism and Cultural Ecology*. Edited by Hubert Zapf. De Gruyter, pp. 315-333.

Williams, Terry Tempest (1992[1991]) *Refuge: An Unnatural History of Family and Place*. Vintage.〔邦訳は前掲のウィリアムス〕

— (1994) *An Unspoken Hunger: Stories from the Field*. Pantheon.

— (1995) "The Erotic Landscape." Reprinted in *Literature and the Environment*. Edited by Lorraine Anderson, Scott Slovic and John P. O, Grady. Longman, 1999, pp. 28-30.

"Cheryll Glotfelty." Association for the Study of Literature and Environment.〈https://www.asle.org/features/celebrating-asle-co-founder-cheryll-glotfelty/〉二〇一九年六月二五日閲覧

結城正美（ゆうき・まさみ）

異文化とのマテリアルな接触がフィールドワークの根幹をなすとするならば、白山麓ですごす時間はちいさなフィールドワークといえるかもしれない。田舎の本家に生まれたわたしは、肥桶を担ぎ筵（むしろ）を織る祖母に見守られて育った。環境文学に従事しはじめて、そういう祖母世代の日常の営みが、環境との交渉のなかで培われた知であったことに気づいた。祖母の気配を感じる家のぐるりで畑仕事をしていると、地に足のついた研究へと引きもどされる。

＊　＊　＊

■わたしの研究に衝撃をあたえた一冊『狼が連れだって走る月』

環境文学にのめりこみはじめたころ、この本に出合った。エドワード・アビー、バリー・ロペス、ルドルフォ・アナーヤ、ローレン・アイズリーなど、日本では当時ほとんど無名の環境文学の書き手が縦横無尽に論じられていることに瞠目し、圧倒的な読書経験と旅人の透徹した哀しみがあいまった筆圧に揺さぶられた。エコクリティシズムの手法を模索していた院生のわたしにとって、北極星のような本だった。ネヴァダ留学中に何度読み返したことだろう。

管啓次郎著
河出書房新社
二〇一二年（筑摩書房一九九四年）

アウシュヴィッツのあとに『ニッポニアニッポン』を読むこと
欧州から佐渡島にいたる文学と動物のフィールドワーク

——波戸岡景太

はじめに　動物を語るための、動物を語らない旅

「ヴィール」（veal）、「ヴェニスン」（venison）、「ポートリー」（poultry）と単語を並べ、さて、これら三つの単語の共通点はなんでしょうかと尋ねる、そんな英語のテストがあった。あるいはこれが、ビーフ、ポーク、チキンであれば、難易度はずいぶんとさがったはずだが、あいにく冒頭の表現はいまだ日本ではなじみが薄い。とはいえ、問題の単語を順に訳してみると、子牛肉、鹿肉、家禽の肉となるから、答えとなる共通点が「食肉」であることは、意味さえわかれば造作もないだろう。

もちろん、食肉とは、殺された動物の体である。ノーベル文学賞受賞者のアイザック・B・シンガーは、ユダヤのことばで書かれた小説『ショーシャ』（*Shosha*, 1978）の登場人物に、「神の造った生き物に対してぼくたちがすることは、ナチがぼくたちに対してする

アイザック・B・シンガー
一九〇四年、ポーランド生まれ。三五年に渡米して以来、アメリカにて執筆活動をつづける。小説『ショーシャ』は、シンガーが青春時代をすごした世界大戦以前のポーランドが舞台となっている。

ことと同じだからさ[1]」と語らせたが、一九〇四年にポーランドで生まれた作家が、みずからをナチスになぞらえてみせたこのことばの重みは、動物とむきあう現代作家たちの仕事を考えるうえで、いまも欠かすことのできない指標となっている。
たとえば、今世紀のアメリカ文学を代表するユダヤ系作家ジョナサン・サフラン・フォアは、二〇〇九年に発表されたノンフィクション作品『イーティング・アニマル　アメリカ工場式畜産の難題（ジレンマ）』（*Eating Animals*）で、肉食の問題をつぎのように語っている。

人間である以上、暴力なしに生きるという選択肢はあたえられていなかったとしても、個人には、収穫か屠殺か、農業か戦争かのどちらを軸とした食事にするかを選択する権利は残されている。これまでは屠殺を選んできた。戦争を選んできた。それが、動物の肉を食べるという物語の真実だ。[2]

九・一一を題材とし世界的なベストセラーとなった『ものすごくうるさくて、ありえないほど近い[3]』（*Extremely Loud and Incredibly Close*, 2005）の著者でもあるフォアは、肉食という行為をさけようと思えばさけられる「物語」として受け止め、さらには動物をめぐる諸問題は人間の「ことば」に左右されることを指摘する。「『子牛肉（ヴィール）』と言ってしまうと、生まれたばかりの牛のことを話題にしているという気がしなくなる[4]」と強調する彼は、長男を授かったことをきっかけとして、本格的なヴェジタリアンになった。それはずいぶんとナイーブな話のように聞こえるかもしれないが、そのシンプルな動機とは裏腹に、フォアはもう一〇年以上にわたって、わたしたち皆がそうしなければならない理論的な裏づけと、

ジョナサン・サフラン・フォア
一九七七年、アメリカ生まれ。写真などのビジュアル素材を多用したり、ページそのものに穴を穿ったりと、ポストモダンな趣のある創作活動を試みるいっぽう、動物の権利や気候変動をめぐるラディカルなノンフィクション作品の発表も精力的におこなう。

それを伝えるための物語の語りかたを模索しつづけている。現時点での彼の最新作は、二〇一九年に発表された『わたしたちは気象である　朝ごはんから地球を救う』(*We Are the Weather: Saving the Planet Begins at Breakfast*)というノンフィクション作品だが、これは先にあげた『イーティング・アニマル』の、実質的な続編となっている。『イーティング・アニマル』は、日本語訳の副題にもあるとおり、アメリカの工場式畜産の実態にフォア自身が体当たりで挑んだ記録でもあるのだが、そうした取材の準備にも、彼は十分な時間を費やしたという。

農場を訪問するまえ、わたしは一年以上かけて肉食に関する文献にじっくりと目を通した。農業の歴史、畜産業界やアメリカ合衆国農務省が発行する資料、動物保護運動に関するパンフレット、関連する哲学書、そして、肉のテーマに触れた食に関する書籍多数……。混乱しそうになったことは何度もある。(中略)言葉はけっして字義どおりには受けとれない。こと肉食に関しては、コミュニケーションの手段である言葉が、しばしば論理のすりかえやカモフラージュの手段として利用されているのだ。[5]

(強調原文)

動物とのふれあいは、通常はことばというものを介さない(声はかけても、会話できないのだから)心の交流のことをさすが、動物の肉を食べるという「ふれあい」では、ことばによるカモフラージュこそが、その行為の残酷さを軽減し隠蔽さえしてしまう。ことばの専門家であるフォアの混乱をそっくりそのまま理解することはむずかしいけれど、ボキャブラリーの豊富さが現実を見えなくさせてしまうということは、わたしたちも冒頭の英語問題（ヴィール、ヴェニスン、ポートリー）ですでに実感したばかりである。

このように、動物や自然にたいする文学的なアプローチというものは主観的な体験であれ、科学的な言説であれ、いずれも「ことば」というもののやっかいさを精査することが主眼となる。ことに動物を主題とした文学作品の場合、そこに描かれる動物たちは徹頭徹尾「ことば」によって説明されるため、彼らはわたしたちに読まれている段階で、すでにして実体を失いかけている場合もあるだろう。そうなると、作家の紡いだことばにまたあらたなことばを重ねていくようなわたしたち文学研究者の仕事は、物語の動物を理解するどころか、彼らを語る際の「論理のすりかえ」や「カモフラージュ」を促進することになりかねない。

そうしたことをさけるためにも、作家の「ことば」と研究者の「ことば」のあいだには、せめて「ことば以外の何か」が差しはさまれるべきではないだろうか、という思いが頭をよぎる。イメージとしては、文化人類学者が実施するようなフィールドワークを文学研究者もおこない、実地で獲得した「ことば以外の何か」をもって、再び文学作品にむきあうという手順である。ヒントとなるのはオランダの理論家ミーケ・バルの、つぎのような文章だ。

一つの方法論を採用するのではありません。対象物もまた参加するような、複数のものたちの出会いをとりもつのです。そうすれば、対象と手法は、新たなフィールド（このことばは暫定的なものですが）を生み出すことになります。（中略）一見したところ、テクストや音楽や映画や絵画といった研究対象は、文化人類学のそれよりも単純に思えるでしょう。そもそも、あなたがその対象物を選んだのは、その「モノ」('thing') としての魅力に惹かれたからでした。しかし、〔文化分析の〕旅から帰還したあなたは、これら人工的に構築された対象物がもはや「モノ」ではなく、生き物 (a living creature) となっていることに気づくはずです。旅の途中でそれを泥まみれにした疑問や思索は、それ自身の内側に対象物をとりこみ、そして、その生き物を取り囲む「フィールド」のごときものになるのです。[6]

文学理論家のジョナサン・カラーは、こうしたバルの方法論の利点が「麻痺をひき起こしかねない自省という身振りを、実際に実行可能な研究計画にしてしまえるということ」にあると指摘する。[7] 自分の研究行為そのものを反省的に顧み、それを生産的な議論へと発展させるには、バルのいう「旅」という比喩を、愚直におこなってみることが文学研究にも必要なのだろう。すなわち、動物を語るための、動物を語らない旅である。

以下では、わたしがこれまでにおこなってきた文学と動物をめぐる「旅」のスケッチを、そうした文化分析的フィールドワークのささやかな実践例として紹介してみたいと思う。ただし、わたしの研究では「旅」それ自体もまたべつの「旅」に出会い、比較文化・文学的なフィールドをかたちづくる。シンガーからフォアにいたる現代のユダヤ系アメリカ人作家たちの、起点であると同時に終点でもある強制収容所跡地をめぐる旅は、やがて、現代日本文学を代表する**阿部和重**の想像力を介して、日本の佐渡島への旅とまじりあう。いったい、これらの旅を経ることで、動物はどれだけ人間のことばから隔たることができ、

阿部和重
一九六八年―。山形県出身。映画からインターネットにいたる、マルチメディアの影響下にある現代人の生活を、メタフィクションの手法で描いた作品を得意とする。『グランド・フィナーレ』で芥川賞受賞。

同時に、人間はどれだけ動物をみずからの語りのうちに再生することができたのか。順を追って検証してみよう。

Ⅰ　アウシュヴィッツ未体験世代の「ポストメモリー」

二〇一二年春から一四年冬にかけて、わたしは欧州各国に点在するホロコーストの跡地を旅してまわった。第二次世界大戦下におこなわれたナチス・ドイツによるユダヤ人の大量虐殺の実態は、ポーランドのアウシュヴィッツ・ビルケナウを筆頭とするドイツ国内外の強制収容所が連合国軍により解放されたことで世界中の知るところとなり、戦後、そのメモリアル化がすすめられたが、研究者によって二万か所とも四万か所ともいわれる収容所跡は、そのほとんどが時の流れによって姿を消しており、現代のわたしたちが訪問できる数はかぎられていた。

それでも、ブーヘンヴァルト強制収容所跡、ダッハウ強制収容所跡、ミッテルバウ・ドーラ強制収容所跡、ノイエンガンメ強制収容所跡、ザクセンハウゼン強制収容所跡、ランツベルク／カウフェリングの収容所群跡、ペーネミュンデ陸軍兵器実験場跡といったドイツ国内のものから、イタリアのボルツァーノ通過収容所跡、フランスのドランシー収容所跡、そしてアウシュヴィッツ・ビルケナウ強制収容所跡といった具合に、当時のわたしにとって可能なかぎりの広さと、その重要性からして妥当と思われる行き先をリストアップし、ひとつの跡地の近くに数日から数週間宿泊するという計画のもと、フィールドワークははじめられた。

ドイツ暮らしの拠点となったのは南に位置するミュンヘンだったから、調査はおのずと、そこから小一時間でいけるダッハウからはじめられることとなったが、各跡地を訪問した実際の順序には、ここではとくにこだわらないでおきたい。というのも、このフィールドワークでわたしが調査対象としていたのはそれぞれの跡地におけるメモリアルの作法——つまりホロコーストの記憶が風化しないためにいかにして歴史的空間を様式化してきたかということであり、それはすなわち、それぞれの場所で、いかにして時の流れというものが「停止」されていたかを調べるものであったからだ。

ホロコーストを体験せず、けれどもそれを伝え聞きみずからの記憶へと変えていく人びとの心象風景を、比較文学者のマリアンヌ・ハーシュは、漫画家アート・スピーゲルマンの作品を参照しつつ「ポストメモリー」という批評用語で説明している。

スピーゲルマンにとって、そして、彼と同世代にあたるわたしたちにとって、強制収容所への到着という視覚イメージは、〔アウシュヴィッツの〕ゲートである。彼がこれを描いたのは、その語りを直接的かつ「真正のもの」にするためだけではない。門は文字どおりに、スピーゲルマン自身と、彼とポストメモリーを共有する読者が合流するためのポイント（ゲート）となるのだ。(8)

ここで言及されているのは、ユダヤ系アメリカ人のスピーゲルマンが描いた『マウスアウシュヴィッツを生きのびた父親の物語』（*Maus: A Survivor's Tale*）という、一九九二年にピュリッツァー賞を受賞したグラフィック・ノベル（物語性の高いコミックで、日本の

アート・スピーゲルマン
一九四八年、スウェーデン生まれ。五一年に家族でアメリカに移住。アンダーグラウンドな漫画を執筆し、雑誌の編集にも従事する。父親のホロコースト体験に取材したグラフィック・ノベル『マウス』によってピュリッツァー賞受賞。

劇画にあたる）だ。[9] 迫害されるユダヤ人はネズミ、ポーランド人はブタ、そして、ナチス・ドイツの人間たちはネコといったように、第二次世界大戦下にあった非人道的行為を、動物という、文字どおりに「人間ではないものたち」の物語に仕立ててみせた本作は、いっぽうで、ネズミの仮面をかぶった作者本人がナレーターとして物語内に登場するなど、現実世界の「人間」たちとの距離をはかりかねている作品でもあった。

世代が交代し、記憶が上書きされ「ポストメモリー」が生成されていく過程において、なぜスピーゲルマンは「動物」をそこにまぎれこませたのか。これは、本論で冒頭に掲げたアイザック・B・シンガー、すなわちホロコーストの同時代人としての「メモリー」をもつイディッシュ語作家が小説に綴った「神の造った生き物に対してぼくたちがすることは、ナチがぼくたちに対してすることと同じだからさ」ということばとも、アイロニカルな関係をもっている。というのも、シンガーのこのことばが動物の権利を擁護するためにナチスを「比喩」として提示しているのにたいし、スピーゲルマンの「ポストメモリアル」な物語では、動物同士の暴力を戯画化することでナチス・ドイツの暴力をなかば「寓話」へと変えてしまっているからだ。

ただし、スピーゲルマンの寓話は、いうなればネズミの死骸の山であれば直視できるといったわたしたち読者の感情、すなわち現代社会において「ナチがぼくたちに対してすること」と同じ行為を動物におこなっているがゆえにネズミの死骸にたいしてわたしたちは冷静でいられる、といった事態を逆手にとっていることは見逃してはならない。このことはさらに、アラン・シェクナーによるアート作品〈ブッヘンバルトでの自画像　イッツ・ザ・リアル・シング〉（*Self Portrait at Buchenwald: It's the Real Thing*, 1991-93）が実践する、

アラン・シェクナー
一九六二年、イギリス生まれ。ユダヤ系のビジュアル・アーティストとして、アメリカの大学で教鞭をとる。一九九三年に発表された〈イッツ・ザ・リアル・シング〉は、世界中で賛否両論をまきおこした。

ポストメモリーの表現とも比較されるべきだろう。

強制収容所内の記録写真に、コカ・コーラをもつアーティストその人を、当時は最先端の技術であったフォトショップを使用し合成したこの作品は、過去の惨劇を目撃し、被害者の側の立場を想像しようとするわたしたち自身の行為が、すでにして加害者的なものであることを告発する。すなわち、写真にうつりこんだシェクナー本人のもつコカ・コーラは、ポストメモリーを育むわたしたち現代人の「日常」を象徴するものであり、同時に、特定の場所にもちこむとたちまちに不謹慎なものとされる（強制収容所内部でなくとも、たとえば葬儀の参列者がコカ・コーラをもっている情景を思い浮かべてほしい）「非日常性」を演出する嗜好品でもあるのだ。

前掲のハーシュはまた、『マウス』の扉絵のような鉄条網越しのイメージもまた、ポストメモリーにとって重要なものとして言及しており、まさしく、ポーランドのアウシュヴィッツ・ビルケナウ強制収容所跡地では、写真1-1のように、このような鉄条網が「真正さ」を保証するものとして「保存」あるいは「復元」されている。

写真 1-1 ポーランドのアウシュヴィッツ・ビルケナウ強制収容所跡（左右とも）。記憶の真正さを保つため、鉄条網や小屋は「保存」あるいは「復元」されている

ところが、実際にホロコースト・メモリアルを旅

写真 1-2 南ドイツのダッハウ強制収容所跡

して気づかされることは、アウシュヴィッツ以外の、とりわけドイツ国内に散在するホロコースト跡地では鉄条網は復元されていないということだった。写真1-2にもあるように、柱のみの鉄条網跡は、訪問者たちにたいして収容の事実と解放の歴史を一度に伝える。これと同じことは、収容所跡地において、かつて強制労働に従事させられた人びとが押しこめられた小屋の展示にも見られた。アウシュヴィッツの収容施設のほとんどが完璧なかたちで保存／復元されているのにたいし、ドイツ国内の収容所跡では、多くが瓦礫や石を薄く積みあげ、建物の基礎部分を象徴的に復元することのみによって小屋の実体と不在とを同時に「表現」していたのである。ことに次ページ写真1-3にあげた、二〇〇五年に現在のかたちに整えられたというハンブルク郊外のノイエンガンメ強制収容所跡の展示は、基礎部分の組みかたのスタイリッシュさに見られるような、そのプレゼンテーションの「あたらしさ」ゆえに、ともすれば第二世代がもつ「ポストメモリー」を越えた、第n世代のための「メモリー」の構築方法を示しているのかもしれない。

Ⅱ　現代日本文学のなかのポストメモリー

ホロコーストの直接的な「メモリー」により著された文学作品の数はけっしてすくなく

写真 1-3 ハンブルク郊外のノイエンガンメ強制収容所跡。前ページ写真 1-2 同様、柱のみの鉄条網跡や、基礎部分の「表現」が、収容と解放の両方を同時に主張する

ないけれど、そこに「ポストメモリー」と、さらには第n世代の「ポスト・ポスト……メモリー」の所産と考えうる作品を加えたならば、その出版点数は天文学的な数字となるだろう。

欧州中のホロコースト・メモリアルをめぐっているあいだ、わたしは前掲のフォアやスピーゲルマンの作品のほか、ナチス・ドイツの脅威を現代社会に重ねあわせる多くの現代アメリカ小説を読み返していたが、これらに加えて、わたしがつねづね思いだしていたのは阿部和重の『ニッポニアニッポン』という中編小説であった。

一九六八年生まれの阿部はこの小説をつぎのように書きはじめることで、希少種「トキ」にたいする自分自身の理不尽な暴力と、これを物語化する「ポストメモリー」こそが本作の主題であることを端的に示してみせた。

> 選択肢は三つに絞られた。
> 飼育、解放、密殺。
> しかし実現可能な処置となるとさらに限られる。
> 三つのうち、飼育は除外すべきだと思われた。佐渡から都内までの運搬に苦労するだろうし、六畳一間の室内で放し飼い出来るほど小さな鳥ではない。[10]

『ニッポニアニッポン』
阿部和重著、新潮社、二〇〇一年（新潮文庫、二〇〇四年）

これから何がおきようとしているのかは、もうおわかりだろう。タイトルのとおり、ニッポニアニッポンという学名をもつトキが不逞の輩にねらわれるのである。鴇谷（とうや）春生という名のその男は、自身の名字がトキに由来することを中学一年にして知り、以来、学校で疎外感をおぼえたり、ひとり暮らしゆえの孤独感にさいなまれたりするたびに、この特殊な境遇にある鳥にたいして、愛憎入り交じった感情を育み、なんらかのかたちでの救済、あるいは殲滅といった幻想をいだくようになったのである。

> 春生はそれらの幻想を基にして、「**計画書**」というテキスト・ファイルを作成した。そのファイルの一行目に、彼は、「**ニッポニア・ニッポン問題の最終解決**」と標題を記した。[11]
>
> （ゴシック体は原文、以下同）

「最終解決」ということばが端的に示すように、鴇谷の幻想はナチス・ドイツによるユダヤ人大量虐殺を下敷きにしている。小説の語り手はこうした主人公の思いこみを「ほとんど、八つ当たりに等しい情動」と呼び、その目的を「国の管理を無効化」することとしたうえで、最終的にいずれかの方法で「佐渡トキ保護センターの飼育ケージを空っぽにして」しまえば、彼の「最終解決」はなしえると説明する。[12]

いっぽうで、阿部和重がこのような小説を書いた意図は、やはり前掲のアイザック・B・シンガーの「神の造った生き物に対してぼくたちがすることは、ナチがぼくたちに対してすることと同じだからさ」という悲痛な叫びの裏返しだとも想像される。「むろん俺は、気高く偉大な生物であるトキを軽んじてはいないし、いい加減に扱って無下にするつもりもない」と鴇谷は日記に書きつける。「俺は国の役人や学者どもとは違うのだ。トキはいわば、俺の手を介して初めて、この国に対する復讐を遂げることが可能となる[13]」

あるいはまた、希少種にたいする人間のゆがんだ思考を鮮明に描いた小説としては、アメリカのポストモダン作家トマス・ピンチョンによる『重力の虹』（*Gravity's Rainbow*, 1973）がある。この作品は、第二次世界大戦が最終局面に入ったロンドンに駐在していたアメリカ人中尉の青年が、ナチス・ドイツが開発したV2ロケットの謎をめぐる旅に駆りだされ、連合国軍によって分割占領されようとしているドイツをさまようといった内容だ。本書の想像力が阿部やシンガーのそれと共振するのは、ナチス・ドイツのなしたことが、それ以前の植民地主義の暴力に重ねあわされる時で、たとえばそれは、オランダの植民者がモーリシャス諸島にてドードー鳥を殺した史実であるとか、ピューリタンたちが新大陸アメリカでおこなった森林伐採や畜産など、ナチスに迫害される側や連合国軍側の人間たちが、みずからの祖先に「ナチがぼくたちに対してすること」の原型を見いだしてしまう瞬間である。

アメリカ文学者の永野良博はピンチョン研究者のことばを引きながら、『重力の虹』におけるドードー殺しの本質をつぎのように説明している。

〔登場人物の祖先にあたる〕フランス・ファン・デル・グルーフはモーリシャス島に入植したプロテスタントの一人であり、彼を含む者たちは神の計画と彼らが信ずるものを

トマス・ピンチョン
一九三七年、アメリカ生まれ。小説『重力の虹』で全米図書賞に輝くも、その私生活はデビュー当初から現在にいたるまで完全に非公開とされている。ジェイムス・ジョイスなどと並び称される現代文学の代表的存在。

> 実現するため、地域に生息する鳥ドードーを組織的に絶滅させる。（中略）ジョセフ・スレイドが述べているように、「彼〔フランス〕は自分の狂気を、大量殺戮を救済と偽装することによって正当化する」。しかしながら、救済は選ばれし者である殺戮者にのみ与えられている。（中略）問題を複雑化するのは、植民者が生き延びるためにドードーを食し、ドードーの亡骸と糞が土地に養分を与えるという事実である。[14]

殺戮を救済に偽装するという指摘は、そのまま『ニッポニアニッポン』における「最終解決」計画の基本方針に適用できるだろう。ただし、鴇谷の場合、問題が複雑化する原因となるのはピンチョンの植民者のような肉食という行為ではなくトキの繁殖行為であり、これにたいするヒトという「他種」としての嫉妬であった。

春生が特に許し難く感じていたのは、この切迫した（と彼自身が考える）状況下にあって、ユウユウとメイメイが思う存分交尾に励み続けていたことだ。事実、後に見つけた「読売新聞　新潟支局のホームページ」の三月二七日付け記事には、「優優と美美のペアには二十日以後、交尾と見られる行為があったが、二十四日からは毎日交尾が確認されていた」などと書かれている。

　ということは、こちらが一生懸命に計画を練り上げて、適切な交通手段を思い付けずに頭を抱え込んでいた間、ユウユウとメイメイのペアは大いにやりまくっていたというわけだ。いくら繁殖期だからとはいえ、いったい何という強欲な、浅ましい家畜どもであろうか！　俺は未だにただの一発もやったことのない、ずぶの童貞だというのに！

――これが春生の怒りのあらましだった。[15]

鴇谷はトキにたいし、捕食ではなく生殖という点で「動物」としての圧倒的な劣等感をかかえつづけている。二一世紀小説として、かつ日本という特異な文化圏における作家として、阿部和重が物語化するホロコーストの「ポストメモリー」は、わたしたちの暮らすこの日本社会の病理の一端を浮き彫りにしてみせるのだ。

では、こうした現代小説という名の妄想にたいして、文学者はいかなる方法で立ち向かうべきなのか。

阿部その人の文章にならうならば、選択肢は三つに絞られる。

テクストの精読、先行する文学作品との比較、文化分析的フィールドワーク。

これを順に実践してみるならば、まず精読の対象となる『ニッポニアニッポン』の特徴的な原文サンプルは以下のとおりだ。

検索項目に「スタンガン」と入力し、結果を表示させると、「4195件」と出た。さらに、「通販」とキーワードを追加して再度検索すると、「1543件」がヒットした。しかしこれではまだ多すぎる。もう一度、「手錠」と加えて絞り込むと、「32件」になった。春生はその中から、「業界一の品揃え！　大特価販売中！」と謳う大阪の業者を選び、同社のホームページにアクセスした。（中略）

手錠をいくつ用意するか迷ったが、二つもあれば足りるのではないかと春生は考えた。環境省のウェブサイトによると、佐渡トキ保護センターでは「獣医師、飼育専門員、補助員2名の計4名で飼育管理」が行われているという。だとすれば、宿直員がいるとしても、緊急時でない限りは恐らく一人きりだろうし、警備員と併せても三人以上はいないと推断した。[16]

本作が発表された二〇〇一年といえば、フリー百科事典「Wikipedia」が初公開された年であり、検索サイト「Google」にしても株式公開前の成長段階にあった。ゆえに、インターネットからのコピー&ペーストを大胆におこなう阿部の文章も、当時はずいぶんと実験的なものにうつった。阿部は、このときのインターネット活用が後の自分の執筆スタイルに大きく影響したと語っている。

最大の意義は、その後の自分の執筆スタイルが確立されたと言えるところです。どういうことかというと、具体的にはパソコンで様々なアプリケーション・ソフトウェアを同時に使いながら書き進めるわけですが、とりわけ検索に時間をかける。Googleで特定のフレーズをひたすら調べたり、辞書ソフトを二つぐらい同時に見ながら語彙をチェックして、一文一文を書き進めるという形が完全に固定されたのが、『ニッポニアニッポン』を書くことによってだったんです。あれによって、小説を書く上での自分の資質と目指すべき方向性があらためて明確化したような気がしています。[17]

取材よりも、ひたすら「検索」という手法によって物語を構成し文章を紡ぎだす現代作家。阿部は同作で三度目の芥川賞候補となり、その三年後にはついに同賞受賞をなしとげているが、彼の確立した「検索文体」とでも呼ぶべきスタイルは、やがて小説『ニムロッド』で芥川賞受賞となった上田岳弘のような若手作家たちに受け継がれていくこととなる。

鈴村和成は、評論『テロの文学史』において、三島由紀夫にはじまり阿部や上田にいたる、日本文学におけるテロリスト表象の系譜をたどってみせたが、たとえ同じような鳥殺しの欲望がそこに書かれていたとしても、三島の「孔雀」と阿部の「ニッポニアニッポン」のあいだには大きな隔たりがあると指摘する。

> 三島由紀夫の「孔雀」では、公園の孔雀たちはこんなふうに殺害される、――「もちろん刑事が現場へ着いたときには、孔雀はことごとく燦爛たる骸になつてゐた。彼は自分の耳でその声を聴いたわけではない。しかしこの濃密な夜のむかうには、今も殺された孔雀どもの狂躁の叫びが、丁度黒地に織り込まれた金糸銀糸のやうに、細く、執拗につづいてゐるやうに思はれる」。この「燦爛たる骸」から「感動」と「情緒」を抜き去って、瑠璃色に輝く羽根を完璧に脱色すると、そこに阿部和重のトキが再生し、純白の羽根を羽ばたかせるのである。[18]

こうした議論は、まさしくわたしたちがふたつめの分析方法としてあげていた、先行する文学作品との比較となるだろう。鈴村の指摘するとおり、阿部和重の検索文体は感動抜き、情緒抜き、完璧なる脱色、といった人工性をたたえている。そしてそれは三島の文体のもつきらびやかな人工性とは次元のことなるものである。つまり、わたしたちが最後に手にした分析方法であるフィールドワークは、こうしたネット時代の人工性によってなり

『ニムロッド』上田岳弘著、講談社、二〇一九年

たつことばをたよりにはじめられなければならないのである。

Ⅲ 「検索文体」と古びないトーテムポール

小説というものの基本スタンスは「この作品はフィクションであり……」という但し書きに集約される。よしんば小説に登場する地名が現実の地図上に印刷されていたとしても、それは「偶然」であるとみなすのがルールなのだ。だから小説『ニッポニアニッポン』の主たる舞台が「佐渡島」とされていて、しかもそこには「佐渡トキ保護センター」があり、「両津市」の「願（ねがい）」という集落があり、「大佐渡スカイライン」があり、「佐渡グランドホテル」があると書かれていても、それらはすべて「偶然」なのである。結局、フィクションを読むということは、物語の内側と外側を重ねあわせながらもそれらをけっして同一視しないという、ある種の離れ業が要求される作業なのだろう。

こうした大原則を確認したうえで、なおのこと小説内での鴇谷青年の足取りをたどってみようと思う時わたしたちを鼓舞するのは「対象となるものも参加するような、複数のものたちの出会いをとりもつのです」というバルのことばだ。二〇一五年七月、欧州のフィールドワークから帰国して一年がすぎたその夏、わたしは小説のなかの鴇谷と同じ新潟港の万代島フェリーターミナルの待合所で佐渡行きの高速船「ジェットフォイル」を待っていた。そこでわたしが目にしたのは、トキとはまったく無関係の「鳥」であるオオワシとシャチを彫ったトーテムポールであり、鴇谷自身、この作品との出会いに面食らいつつ、その実在する作者名にたいし、ちょうどわたしたちが阿部という書き手に接するのと同じような腰の引けた態度を示している。
彫刻柱の説明看板には、「万代島フェリーターミナル竣工記念」として一九八一年七月に贈られた、「クワギラスインディアン〝オオワシとシャチ〟トーテムポール」と表記されている、寄贈者は「ボーイングマリンシステムズ」で製作者は「トニー・ハント」だという。看板の下半分には、「シャチ」と「オオワシ」に込められた意味の解説（「シャチ」は「偉大なる力と幸運」、「オオワシ」は「強さと友情」）が書かれてあるものの、乗船の待合室にトーテムポールというのは唐突で場違いな印象を受けた(19)。

阿部の「検索文体」は、ここでもまた、トーテムポールの足元におかれた解説文をそのまま引き写すことによって成立している。そうすることで、鴇谷の視線を肩代わりした語り手は、目にうつるもののすべてから現実の深みを奪っていくような、人工性の演出をおこなうのである。

はたして、わたしが実際に目撃したこのトーテムポールの存在感は、阿部のテクスト越しに感じていたフラットな質感をはるかに凌駕するものだった。

まず、阿部も書くように、この待合所には

写真２　万代島フェリーターミナルの待合所。中央にＮＨＫ専用のテレビ台があり、その横には、天井ぎりぎりにそびえたつトーテムポールが飾られている。その右におかれているのは、救命胴衣のサンプル

の解説文が伝達してくれる「ことば」のみを受け止めようとする。
化的重なりを背負ったトーテムポールの存在については思いをいたさず、ただ、その足元
の作者「トニー・ハント」はカナダの先住民アーティストだ。鴇谷は、これら日米加の文
真2)。寄贈者の「ボーイングマリンシステムズ」はアメリカ合衆国の企業であるが、そ
「NHK番組専用のテレビ台」があり、トーテムポールは、そのすぐ横に立っている(写

改めてトーテムポールを見直した春生は、次のように思った――「偉大なる力と幸運」、そして「強さと友情」、これらの言葉は、この俺を言い表すのにぴったりの標語かもしれない[20]。

だがもちろん「これらの言葉」というのは、いずれもトーテムポールに彫られた動物たちの象徴的意味であって、作品そのものの形状や質感とは必ずしも一致しない。そもそもカナダにおけるトーテムポールの意味は、その文化的意味もさることながら、制作者たちにとっても「別格」であると、文化人類学者の立川陽仁は大阪にある国立民族学博物館が発行する『調査報告』に記している。その理由としては、直径約一メートル、全長二メートル以上の「レッド・シーダーの丸太」というあまりに大きな材料をもちいて「この大きな材料に(北西海岸特有の)隙間を完全に埋めていくデザインを施す」ため、複数の人員による分業体制が必要となるからである[21]。

ところで、カナダにおけるトーテムポールは一九世紀の終わりから二〇世紀なかばにかけておこなわれた政府による法的規制により、その制作が思うようにできなかった。とこ

ろが、その後ロイヤル・ブリティッシュ・コロンビア博物館やブリティッシュ・コロンビア大学といった機関が「先住民の『失われゆく』伝統を保持するべく、ある一部の先住民にトーテム・ポールの復元を依頼した」。立川の報告を続けると、一九五三年にロイヤル・ブリティッシュ・コロンビア博物館が主導した復元作業において「主任となったマンゴ・マーティンは、ヘンリー・ハントやトニー・ハントを助手として雇」ったという[22]。はたして、この「ハント一族」の一員たる「トニー・ハント」こそは、あのフェリー待合所に立っていたトーテムポールの作者なのであった。また、同じ『調査報告』に寄稿する広瀬健一郎によると、一九六七年のモントリオール万国博覧会においても「インディアン館」の彫刻技師の中心人物として選出されたのは、やはりヘンリーとトニーのハント親子であったという[23]。

現代によみがえる正真正銘の「伝統アート」であるトニー・ハントのトーテムポール。では、あの待合所におかれた彼の作品の、いったい何が異質であったのか。ここで比較されるべきは、前掲の国立民族学博物館の前庭に立つ、もうひとつのトーテムポールだろう。一九七七年からそこに屹立するこのトーテムポール――じつはその作者もまたトニー・ハントその人なのだが――こちらは

写真3　トニー・ハント作のトーテムポールに解説板を設置したことを知らせる、国立民族学博物館の公式Twitterの画像（2017年4月13日、国立民族学博物館所蔵）

屋根も壁もないままに、すでに四〇年ちかく雨風にさらされてきた。写真3は同館の公式Twitter（二〇一七年四月一三日）の記事だが、そこには「いちど建てたトーテムポールは自然にまかせて手を加えないのが習わしです。年数を重ねたトーテムポールの味わいを解説とあわせてお楽しみください」とある。この後、二〇一七年と一八年の台風によって、この作品は両羽根を失うという大きな被害にみまわれるのだが、それもまた「習わし」によって、直接の修繕はなされなかった。

こうした、日本におけるもう一体のトーテムポールと比較してみる時、万代島フェリーターミナルの待合所に立つトーテムポールは、まったくといっていいほど古びていない。あたかも、お土産物屋の木彫りの熊がうっすらと埃をかぶりつつも「新品」として売られているように、それは「自然にまかせる」ことがない状態でそこに立ちながら、けれども博物館の屋内展示のような緊張感もなしに飾られつづけてきたのである。

Ⅳ　鴇谷の知らないもうひとつのトーテム

「動物」をかたどりながらも、むしろ自然とはかけ離れた人工性にむかっていくトーテムポールの姿。わたしもまたそれを確認して佐渡にむかったわけだが、鴇谷よりも一〇年以上の未来に同地をおとずれたわたしは、作家の思惑をはるかにこえた、もうひとつの「トーテム」に出会うこととなった。

小説において、鴇谷は「佐渡トキ保護センター」という目的地にたどりつくや否や「トキ飼育ケージの『観察ゾーン』」をめざすのだが、とちゅうの「資料展示館」（次ページ写真4-1のように、ここには、トキの剝製も展示されている）には「見るべきものは何もない」と関心をむけなかった。[24] だが、仮に彼がわたしたちと同じ二〇一五年にここに来ていたならば、トーテムポール以上にぎょっとする「トーテム」の存在に目をひかれたことだろう。そう、佐渡市のゆるキャラ「サドッキー」である（写真4-2）。

写真 4-1　トキ資料展示館の剝製

写真 4-2　トキ資料展示館で観光客をむかえるゆるキャラ「サドッキー」

文化人類学者の中沢新一も指摘するように、「動植物の精霊が人間の世界に入り込んできた姿」をとる「ゆるキャラ」は、いまや「各地の市町村の『トーテム』になって」いる。[25] 佐渡市の運営する公式サイト「佐渡トキファンクラブ」によると、「サドッキー」とはトキの「野生復帰シンボル」であり、一般公募を経て、二〇一三年にその名が決まったという。また、同サイトの記事によると、二〇一八年には佐渡汽船の両津港（佐渡市）に写真4-2の写真と同じ着ぐるみサイズのモニュメントがおかれることになったというから、鴇谷の旅がそれ以降であったら、あるいは語り手はトニー・ハントのトーテムポールよりもこのゆるキャラの「トーテム」のほうに視線を奪われ、彼の行動

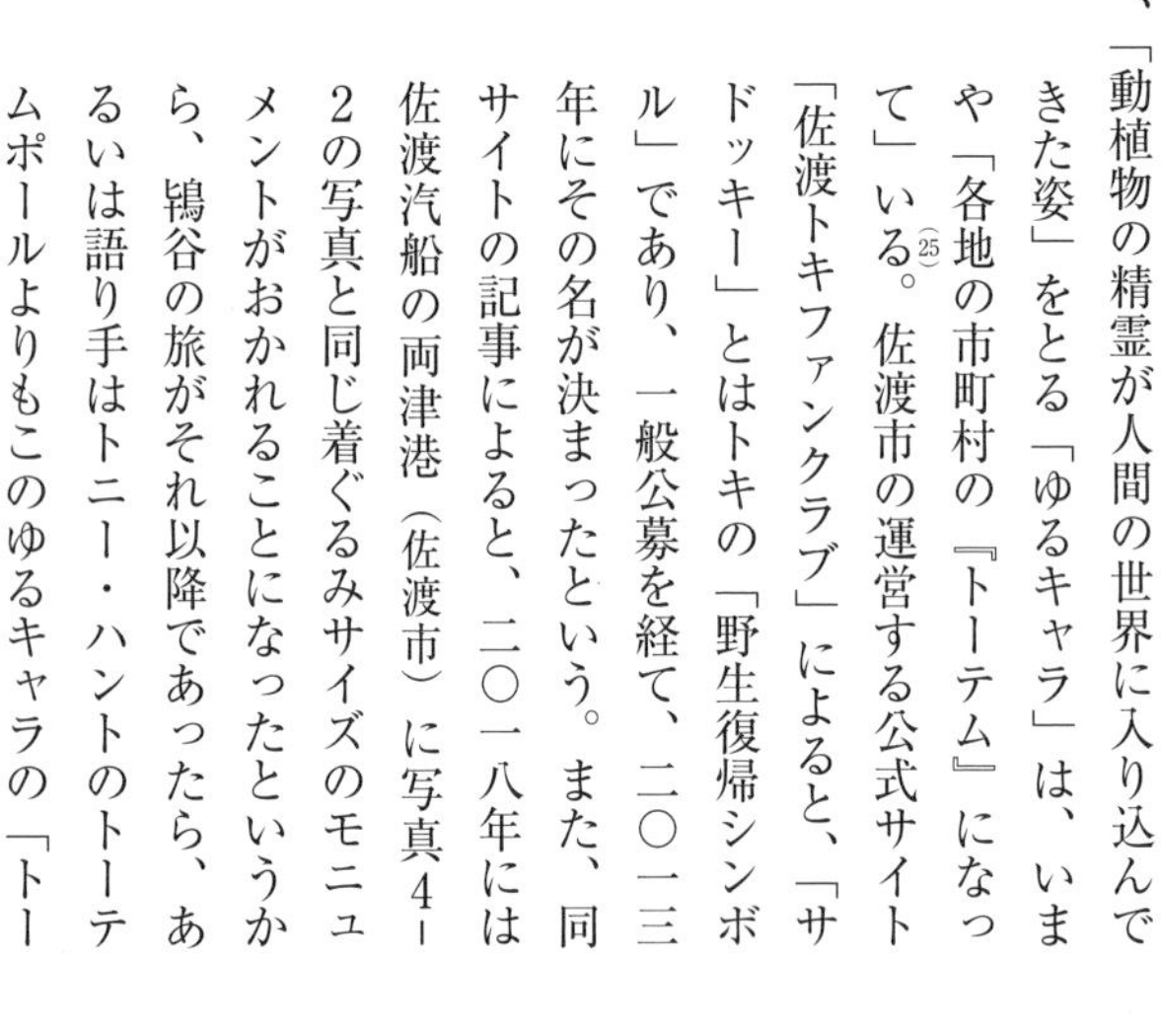

計画にも若干の変更があったかもしれない[26]。

また、これがたんなる仮定の話で終わらないのは、鴇谷のトキ殺しは、終盤で大きな迂回を強いられるのだが、あろうことかそのサブエピソードの終着点には、やはり中沢が著書『ポケモンの神話学』にて「今日のトーテミズム」の萌芽をそこに見いだした、ポケットモンスターのメインキャラクター「ピカチュウ」が姿を現していたからである[27]。

はたして、このもう一匹の「トーテム」＝「動物」はどこから現れたのか。

じつは、佐渡行きのフェリーをおりた時から、鴇谷には旅の随伴者がいた。行きの新幹線で座席まちがえのちょっとしたトラブルがあって知り合った少女、瀬川文緒である。その出会いまでほとんどが鴇谷の自意識で埋めつくされ緊張状態にあった小説の語りは、彼女の登場からすこしずつその緊張をゆるめる。つまり、読者の側からすれば、彼女の存在を媒介にして、ようやくテクストの積極的な読解が可能となるのである。

不慮の事故のために失ってしまった弟の供養のため、佐渡島の願という集落にある「賽の河原」をめざして家を出てきたという瀬川は初対面の鴇谷に懇願して、同地までレンタカーを走らせてもらう。この行程は当然のことながら鴇谷には突発事態であったが、そこへの出発前夜にはげしくとり乱して彼女を泣かせてしまった彼は、つぐないの意味もこめて「観光ルート」を通りながら現地へと車を走らせるのだった。

ホテルを一〇時にチェックアウトした二人は、両津市願へ向かった。

内海府側の道路は通らなかった。昨夜（ゆうべ）泣かせてしまったことを悪いと思い、瀬川文緒をちょっとでも悦ばせてやりたくて、春生は観光ルートを選んで車を走らせた。金井町方面へ出て大佐渡スカイラインを昇り、標高九百四十二メートルの「最高点」で停車して、二人で島の景色を一望した。春生は特に何も言わずにいたが、瀬川文緒は笑顔を取り戻し、明るく振舞い感謝の意を表していた。その後は相川町を経由して外海府海岸線を北上し、尖閣湾に点在する岩肌や海を眺めてから、車一台通るのがやっとの幅員の狭い道を進んだ。そのまま島の涯に沿って走行し、大野亀を通過して、賽の河原のある海岸に辿り着いた(28)。

このサブエピソードにおいて、鴇谷はほとんどはじめて「ツーリスト」として行動をし、かつまた、トキ殺しとはまったく無関係な時間をすごしている。ことに、海岸におりてからの彼と少女の関係は逆転し、瀬川の随伴者となった鴇谷は、波しぶきを全身に浴びて水浸しになってもなお、佐渡の自然のなかを無防備に歩きつづけるのだった。

波が荒く、足場が悪い中を、瀬川文緒は脇目も振らずに歩行した。春生は、黙って彼女の後を付いていった。先へ行くほど、波浪が高まり、水飛沫が視界一面に拡がった。辺りに無数の礫(こいし)が積み上げられた場所まで来ると、二人は全身ずぶ濡れの状態になっていた。

瀬川文緒は、橙色のボディバッグの中からピカチュウのソフトビニール人形を取り出して、岩窟の奥に立ち並べられた地蔵菩薩らの手前にそっと置いた(29)。

はたして、弟の形見として佐渡の「観光名所」におかれた「ピカチュウ」は鴇谷の目にいったいどのようなものとしてうつったのか。もちろん、実際の賽の河原にそのような人形はおかれているはずもなく、鴇谷が目撃した風景について小説はこれ以上の説明をあたえない（写真5）。そればかりか、別れ際に鴇谷はひと言「忘れて、全部」とだけ伝えて、トキの密殺にむかう[30]。ただ、それでもこの「賽の河原」行きが鴇谷に予定外の半日観光を強いたのは事実であり、また、それがひとえに瀬川のいちずな思いを彼がくみとった結果であることを考えるなら、彼女のそうした「思い」にかたちをあたえつづけていたものの正体が「ピカチュウのソフトビニール人形」であったのは、けっして偶然や作家の気まぐれなどではなかったのだろう。

旅の随伴者でありながら最後は「賽の河原」ツアーの主役にもなった少女は、彼女自身の「旅」の最後にピカチュウというトーテムを差しだしてみせることで、鴇谷が待合所のトーテムポール（これも現代カナダのアートである）からあたえられたのと同種のはげましを、鴇谷との出会いに先んじるかたちで、この現代日本の「動物」から得ていたことをわたしたち読者に教える。このことは『ニッポニアニッポン』というどこまでもフラットな「検索文体」で構築されていたはずの小説が、そのバックグラウンドで検索不可能なもうひとつの物語を駆動させていたことの証左であり、わたしたちの旅とは結局、そうした複層化する小説空間の襞（ひだ）にもぐりこみ、言語化された世界と非言語的な世界のあわいを現前化させるフィールドワークであったのである。

写真5　両津市・願の海岸にある「賽の河原」（右）とそこへの道（左）。幼い命の供養のために立つ無数の地蔵の横で、いくつもの風車がまわっている

おわりに　「記憶」のトーテムをさがすフィールドワークへ

結局、鴇谷春生のトキ殺しは、不成功に終わる。

ただし、ことの顛末が翌日のワイドショーで日本全国に知らされると、その報道は鴇谷ではないべつのだれかを刺激することになり、ことに、小説のラストに登場する匿名の男などは「佐渡島で、トキが逃げて、警備員が殺された？　これは面白いことになった[31]」と、さらなる情報をもとめてインターネットにむかう。こうして、鴇谷の計画はあらたな物語として生まれかわり、拡散していく。そこでは、トキばかりでなく、阿部和重が鴇谷というキャラクターに託した「ポストメモリー」もまた、彼の手をすり抜けて逃げていってしまうかのようだ。

「神の造った生き物に対してぼくたちがすることは、ナチがぼくたちに対してすることと同じだからさ」というアイザック・B・シンガーのことばを裏返すかのように、ナチ的な暴力をトキにむけてみせた阿部和重のポストメモリー小説『ニッポニアニッポン』。この小説の舞台をたずねるフィールドワークはわたし自身のポストメモリーを物語化し、アウシュヴィッツ以後に文学にとり組むことの意味を教えてくれる。だから、これ以後もわたしはおりにふれてホロコースト・メモリアルをたずねるのだろう。直近では佐渡の旅から二年後の二〇一七年、わたしはひとり、オランダはアムステルダムのアンネ・フランクの家の前に立っていた。

いっぽうで、ポストメモリーをめぐる今世紀の特徴として、ホロコーストを起点とする「メモリー」のありかたそのものを、ラディカルに見直そうとする動きもある。『永遠の絶滅収容所』(*Eternal Treblinka: Our Treatment of Animals and the Holocaust*, 2002)の著者チャールズ・パターソンはシンガーの遺志を継ぎつつも、ホロコーストと動物虐待の歴史的順序を反転させ、「アウシュヴィッツへの道は〔アメリカ型の〕屠畜場に始まる」と主張する。[32]

二十世紀の歴史が示したように、アメリカの屠畜場における産業化された殺害は、ナチス・ドイツの流れ作業大量殺人へのひとつのステップにすぎなかった。本章の最初のほうで記したように、アウシュヴィッツは、誰かが屠畜場を見て人びとが「あれは動物にすぎない」と考えるときに始まると断言したのはユダヤ系ドイツ人テオドール・アドルノであった。J・M・クッツェーの小説『動物のいのち』のなかで、主人公であるエリザベス・コステロは聴衆に向かって語る。「シカゴがやり方を教えてくれました。ナチスが死体処理の方法を学んだのは、シカゴの家畜置き場からだったのです[33]」。

こうしたパターソンのリサーチはホロコーストを起点にして語られてきた「ポストメモリー」というもののありかたに見直しをせまり、アイザック・B・シンガーの仕事を、より根源的なものへとふかめていく。また、本稿の冒頭に紹介したジョナサン・サフラン・フォアの最近の仕事においても、ナチス・ドイツの暴力については自身の祖母や祖父のパーソナルな記憶を介して語りながら、そうした悪夢がいまも動物たちの日常を脅かしつづけているという「現実」のほうに、「加害者」であるわたしたち読者の目をむけさせようとしている。

そうしたなかで、わたしたち文学研究者もまた、あらゆる角度から「動物」を物語ろうと奮闘しつづける作家たちの想像力に寄り添いつつも、それらを相対化するようなフィールドワークを続けていくしかないのだろう。シンガーであれ、フォアであれ、パターソンであれ、阿部であれ、世界中の物書きたちを突き動かす思いの強さに魅了されたならば、一度はそのポストメモリーをたどる旅に出てみることをおすすめする。その旅の途上で、あなたはきっと、小説のなかの「現実」とあなた自身をむすびつけるような「動物（トーテム）」との、想像もしていなかった遭遇を果たすにちがいない。

〈引用・参考文献〉

（1）シンガー、アイザック・B『ショーシャ』大崎ふみ子訳　吉夏社　二〇〇二年　340ページ
（2）フォア、ジョナサン・サフラン『イーティング・アニマル　アメリカ工場式畜産の難題（ジレンマ）』黒川由美訳　東洋書林　二〇一一年　281―282ページ
（3）フォア、ジョナサン・サフラン『ものすごくうるさくて、ありえないほど近い』近藤隆文訳　ＮＨＫ出版　二〇一一年
（4）フォア『イーティング・アニマル』49ページ
（5）同右
（6）Bal, Mieke. *Travelling Concepts in the Humanities: A Rough Guide*. U of Toronto P, 2002. Kindle, Introduction.
（7）カラー、ジョナサン『文学と文学理論』折島正司訳　岩波書店　二〇一一年　399ページ
（8）Hirsch, Marianne. *The Generation of Postmemory: Writing and Visual Culture After the Holocaust*. Columbia UP, 2012. Kindle, II-4.
（9）スピーゲルマン、アート『マウス　アウシュヴィッツを生きのびた父親の物語』Ⅰ・Ⅱ　小野耕世訳　晶文社　一九九一年、九四年
（10）阿部和重『ニッポニアニッポン』新潮社（新潮文庫）二〇〇四年　5ページ
（11）同右　72ページ
（12）同右　70ページ
（13）同右　69ページ
（14）永野良博『トマス・ピンチョン　帝国、戦争、システム、そして選びに与れぬ者の生』三修社　二〇一九年

116―117ページ
(15) 阿部和重『ニッポニアニッポン』85―86ページ
(16) 同右　11～13ページ
(17) 阿部和重「『ピストルズ』文庫化記念　阿部和重インタビュー」(聞き手・佐々木敦)〈https://cakes.mu/posts/2169〉二〇一九年一一月二〇日閲覧
(18) 鈴村和成『テロの文学史　三島由紀夫にはじまる』太田出版　二〇一六年　第Ⅲ章
(19) 阿部和重『ニッポニアニッポン』109―110ページ
(20) 同右　110ページ
(21) 立川陽仁「先住民アーティストの交流と文化様式」齋藤玲子編『国立民族学博物館調査報告131』人間文化研究機構国立民族学博物館　二〇一五年　289ページ
(22) 同右　285―286ページ
(23) 広瀬健一郎「カナダにおけるインディアン芸術政策の歴史　伝統工芸の継承と教育を中心に」齋藤玲子編『国立民族学博物館調査報告131』人間文化研究機構国立民族学博物館　二〇一五年　59ページ
(24) 阿部和重『ニッポニアニッポン』146―147ページ
(25) 中沢新一『NHKテキスト　100分de名著　レヴィ＝ストロース「野生の思考」2016年12月』NHK出版　二〇一六年　101ページ
(26) 「佐渡汽船両津港にサドッキーが登場!」佐渡トキファンクラブ〈http://toki-sado.jp/fanclub/?p=5228〉二〇二〇年二月一八日閲覧
(27) 中沢新一『ポケモンの神話学　新版 ポケットの中の野生』角川新書　二〇一六年　Kindle
(28) 阿部和重『ニッポニアニッポン』162ページ
(29) 同右　162―163ページ
(30) 同右　165―166ページ
(31) 同右　176ページ
(32) パターソン、チャールズ『永遠の絶滅収容所　動物虐待とホロコースト』戸田清訳　緑風出版　二〇〇七年　114ページ
(33) 同右　115―116ページ

波戸岡景太（はとおか・けいた）

アメリカ文学研究者。二〇〇四年、環境文学研究が盛んなネヴァダ州立大学リノ校の客員研究員として渡米して以来、アメリカ西部の荒野に魅せられ、ゴーストタウンを中心としたフィールドワークをおこなってきた。二〇一二年からは、負の遺産の空間的な保存・展示に興味をもち、ドイツ国内外に点在するホロコースト・メモリアルのフィールドワークもおこなっている。本を読みながら辺境を歩き、世界と対話するように文章を書くことをライフワークとする。

＊　＊　＊

■わたしの研究に衝撃をあたえた一冊『伴侶種宣言　犬と人の「重要な他者性」』

原書の刊行は二〇〇三年。「愛犬との暮らし」といった素朴な営みが、かくも思想的かつ戦闘的な「宣言」になるとは想像もつかなかった当時のわたしは、これを読むことにより、ネヴァダという荒野でいかに文学を研究するか、その覚悟を決めることができた。そして、邦訳刊行の際には、幸いにも同書の解説を執筆させていただいた。イズムや理論といったものをこえて、研究が人生に織りこまれるということのすばらしさを教えてくれる一冊である。

ダナ・ハラウェイ著
永野文香訳
以文社
二〇一三年

Ⅲ部

凡庸なる風景　反トポス的なフィールドワークのために

――小谷一明

1　風景への留保とその解体

毎年九月、新潟から大学生を連れて熊本へむかう。水俣でのフィールドワークをおこなうためだ。現地でおこなうこと、それは読んだ本に書かれていないその地の風を感じ、陽光の明るさをたしかめ、山間であればその湿り具合をたしかめるといったことである。海辺では渚におりて水の温もりや柔らかさを手にとってたしかめ、船に乗って波の強さを感じる。これこそが事前に読む書物では容易にわからないことであり、おとずれる場所の特性を知ることで本の内容をふかく理解するためであった。水俣へむかうまえに読む本は石牟礼道子の『苦海浄土』（一九六九）である。時期はことなるが、そこで描かれた場所をくり返しおとずれている。たとえば「公式」の第一号患者が暮らした坪谷（現在の水俣市月浦）を越え、丘陵地をおりたところにある湯堂という漁村へとむかう。その海辺に『苦海浄土』の冒頭で描かれた「椿の井戸」がある（写真1）。もはや使われていない共同井戸に、はらりと椿の赤い花びらが舞いおちるようすを想像するのだ。

このように風景を味わうこと、その地の場所性を把握することをフィールドワークの目

『苦海浄土』
石牟礼道子の三部作からなる小説。ここでは有機水銀中毒事件で揺れる昭和三〇年代から四〇年代初頭にかけての水俣をおもに描いた第一部『苦海浄土　わが水俣病』に言及している。第三部にあたる『天の魚』は一九六九年に続編として、第二部『神々の村』は二〇〇六年に完本として出版された。

写真１　椿の井戸。水俣市湯堂の丘陵地をおりたところに『苦海浄土』に登場する「椿の井戸」があった。最近になり共同井戸は埋め立てられ、現在はその痕跡のみがのこる（2018年9月17日撮影）

的としてきたが、風景に特異な考えをもつ作家を知り、とまどいはじめている。その作家が後藤明生（一九三二―九九）だ。彼は「誰？」（一九七〇）という作品で、風景をつぎのようにいい切る人物を小説に登場させる。

実さい、三十七歳の今日まで、男は何ひとつ心に残る風景などというものを持ち合せていない。花や木の名前も、極く極く常識的なもの以外は知らない。山の名前、川の名前、鳥の名前、魚の名前、いずれもほとんど知らない。従って、そのような自然が頻繁に登場する文章を読むと、どうしても眠気に襲われてしまう。男は自然を愛していない。[1]

後藤は多くの小説でみずからを題材にしているが、風景や自然にたいしつきはなしたような態度を示す。

同じく戦後作家の日野啓三（一九二九―二〇〇二）も『抱擁』（一九八二）という小説で、東京の再開発からとりのこされたような場所をおとずれた主人公に不思議なことばをつぶやかせている。

「誰？」
後藤明生の「団地小説」といわれる作品群のひとつで、風景に心を動かされないゴーストライターが主人公として登場する。「団地小説」には「誰？」の前年に出版された『私的生活』（一九六九）やここで言及する『書かれない報告』などがある。

『抱擁』
泉鏡花賞を受賞した日野啓三の幻想的な作品。再開発のすすむ東京にたたずむエキゾチックな庭園をもった洋館が舞台。大都市における「向こう側」といった空間で暮らす少女とその母、そして祖父らとの主人公の交流が描かれる。

生活というものは、自然に在るものではなく、ひとつひとつを取り出せば不安定きわまる意味、習慣、観念、了解事項、約束事などで、辛うじて組みあげられた構成物にすぎないのだ。枠が消える。物がばらばらになる。むき出しになる。宇宙にさらされる。(2)

生活風景を解体するかのような言述である。生活という認識の枠がとりはずされ「物がばらばらになる」。つまり、生活や風景といった包括的概念へと「物」を還元せず、断片のまま「むき出し」にするのだ。

このように、戦後作家には外部世界の安易な認識に強い警戒心をいだく作家がいる。彼らは外部を一望に収めることやことばによるマッピングに距離をおく。小説家であれば世界を語る欲望に満ちていると思っていたが、その表象に懐疑の眼をむけるのだ。自然を愛でながらフィールドワークをおこない、その場にたたずむ経験を生かして文学を理解しようとする者にとって、後藤や日野の文学は風景や自然、生活ということばの再考をうながしてくる。

なぜ彼らは場所や風景の語りにこうした留保をつけたのか。フィールドワークをおこなう者にも重要なメッセージなのだろうか。この答えを探るため、後藤明生の『首塚の上のアドバルーン』（一九八九）（以下、『首塚』とする）を題材に考えていく。

2　惑乱する風景と遠近感の欠如

『首塚の上のアドバルーン』
後藤明生の代表作のひとつ。埋立地にある高層マンションから見える風景描写で小説ははじまる。地元の住民にも知られていない幕張にある首塚を起点とする連想により、多様な場所、時代が語られる作品となっている。

写真3　「十四階のベランダから見える、タブの木の繁った丘で偶然見つけた」（『首塚』89ページ）と語られた丘。馬加康胤の首塚と伝えられている。この森の南側は埋め立て以前、海だった。案内板「大須賀山の自然と文化財」によれば、海風の関係でタブの木を主とした多様な林相が見られるという（2019年4月28日撮影）

写真2　案内板によれば江戸初期に建てられた供養の五輪塔。古くは大須賀や幕張本郷、江戸時代には馬加村と呼ばれた幕張町にあり、塔は標高15メートルの丘にある（2019年4月28日撮影）

『首塚』は、「三年前のある日[3]」、幕張という地名の由来とされる馬加康胤（まくわりやすたね）の首塚（写真2）を「十四階のベランダから見える、タブの木の繁った丘で偶然見つけた[4]」ことから「郷土」の探求がはじまる小説だ（写真3）。しかし、冒頭からしっかりとした探求ができるのかと読者を不安にさせる描写がつづく。以下は「私」が電話で道案内をする場面だ。

その一つ目の歩道橋が商店街の切れ目でして、そこを過ぎると、がらりと眺めが変ります。道幅が急に広くなり、ぽつんぽ

『クレーの絵本』（講談社、1995）
「クレーの『建設中のＬ広場』は1923年作」（『首塚』71ページ）と紹介されたパウル・クレーによる抽象画のような風景画は、谷川俊太郎が詩を寄せた『クレーの絵本』25ページに所収されている。

つんと喫茶店や食堂みたいなのがあったり、車のショールームのようなものやらマンションやらがあったりします。そう、そう、何だかとりとめのない、子供が画用紙に描いた地図というか、出来かけのニュータウンというか、そんな感じの風景ですが、とにかく、そのまま左側を歩いて来て下さい。[5]

町並みを子どもが描いたような地図にたとえているが、彼の道案内もこの地図とそれほど変わらない。「ようなもの」といった印象で語られる町は、「そんな感じの風景」としてまとめられ、釈然としないのだ。このあと道案内は脱線し、粗大ゴミの話にいきついてしまう。

みずからが暮らすマンションまでの道案内の場面から、「私」が場所の把握を苦手としているという印象を読者はいだくが、風景の説明もきわめて不得意に思えるのだ。マンションからの眺望を説明する際の表現には、「黄色い箱」、「こんもり繁ったやつ」や「異物」といったことばが並ぶ。[6]また、「黄緑と黄色は互いに境界を無視して」とか、「緑の下半分は黄色い家の屋根にかぶさっており（中略）三階および四階の窓は緑の領域に割り込んで」[7]といった説明は、抽象絵画を見ているかのようだ。色や形象の説明が多く、空間の奥行きがつかめないのである。実際、彼は「クレーの『建設中のL広場』」という抽象画で風景を説明しはじめる。

それでも「私」は、マンションからいつも「すでにおなじみの風景を、天眼鏡でのぞいている」[8]という。ここで彼が風景をながめる場面を確認しておきたい。

> ある晴れた暖かい日に、十四階のベランダから見知らぬ風景を眺めている。そんな夢を見ているような気もした。眺めはパノラマ的で遠近感がなかった。（中略）十四階のベランダは、なるほど船のデッキみたいなものだ。
>
> 私は手摺につかまって地上を見おろした。十四階からの眺めには近景がない。最も近い眺めは真下だろう。[9]

このように「おなじみの風景」といいながら、ながめられるのは「見知らぬ風景」なのである。この原因はパノラマ的眺望にありそうだ。船のデッキにたとえられる十四階のベランダから「見おろし」ながら、彼は眺めに遠近感がないという。三浦半島を見晴るかす時も「きらきら光る帯は、黒ずんだ帯の上に見える。半島の上に海があり得るだろうか？」[10]とつぶやいている。眺望は前景と後景のないパノラマであり、海と半島、それぞれが存在感のある対象として眺望に収まろうとせず、なじみのない風景となる。

また、遠近感の欠如は「私」の暮らす町にもその要因がありそうだ。小説の舞台となる一九八〇年代後半の幕張では次つぎとマンションが立ちあらわれ、町は拡大しつづけていた。この地域は東京湾に隣接し、ウォーターフロントと呼ばれた埋め立て地である。安部

写真4　首塚周辺に民家、すこし離れてマンション、遠くに高層ビルが見える風景。後藤は首塚南側の埋立地に「人工海水浴場」があり、「湾岸の向うの新国鉄京葉線は来春開通」し、「四十何階かのニュータウン」（『首塚』15ページ）が建設中だと述べている（2019年4月28日撮影）

公房が『第四間氷期』（一九五八）で埋め立てに言及し、その後も日野啓三の『夢の島』（一九八五）や加藤幸子の『自然連禱』（一九八七）で「ゴミの島」や自然破壊が描かれた場所である。この人工的な造成地に住宅街ができていった。『首塚』の主人公もマンションから離れたところで、「四十何階かのニュータウン[11]」の出現を目撃する（写真4）。離れていても高層マンションができることで遠近感が狂うのだ。

いいかえると、この町自体が眺望に収まろうとしないのである。「旧住民と新住民の居住区の境界線のような道路[12]」はあるが、ニュータウンの出現で新住民もすぐに旧住民となる。拡大を続ける都市の特徴である。後藤は都市を「自分の故郷を失った者が寄り集まったところ[13]」と定義するが、幕張でもだれもがみずからの暮らす場所に不案内で、まわりの景観にとまどっている。『首塚』では幕張の歴史に関心をもった新住民の「私」が旧住民に首塚を尋ねるが、彼女もそれがどこにあるかわからない。この時の会話では眺望についても奇妙なやりとりが記されている。以下の会話は旧住民が話しかけ、

『第四間氷期』
一九五八年から翌年にかけて雑誌「世界」で連載された安部公房のSF小説。AI、人工授精、地球温暖化をテーマとする米ソ冷戦期ならではの未来小説。小説では東京湾の近海で海中用小型原発をもちいた海底植民地の建設がすすめられていく。

『夢の島』
芸術選奨を受賞した日野啓三の代表作で、高度経済成長期を経て群立する都心の高層ビルと、「夢の島」と呼ばれたゴミ処分場が対照的かつ相関的に描かれていく。人工物のゴミからあらたな自然が生まれ、自然と人工物の混在する空間が舞台となっている。

『自然連禱』
一九八〇年代中ごろまでの初期短編九作品からなる加藤幸子の小説。そのひとつ「海辺暮らし」では干潟の

新住民の「私」が答えるかたちではじまった。

「でもお宅のベランダからは、いろんなものが見えて、本当にいいですわねえ」／「富士山は、まだ見てませんよ。どうも放送大学の鉄塔が邪魔をしてるみたいですな」／「でも、こないだは三浦半島が見えるとかおっしゃってたでしょう」／「そんなこといいましたか」／「おっしゃいましたよ。羨ましいなあ、と思いましたもの」／「そうでしたか。いいましたかね」／「ここからは、本当に何も見えませんからね」／「今度、ふらりと［首塚に］行ってみますかな」／「本当に、［首塚について］何も知らなくて相済みません」[14]

一四階で暮らす語り手と軒の低い家で暮らす旧住民のあいだで、住まいの高低差が眺望に大きくかかわることが語られている。しかし、「四十何階かの」マンションが出現して視界を遮断されたのか、「私」は以前に話した三浦半島の眺望を忘れている。結果、住民同士の風景談義はかみあわず、景色についての感興を共有できないのだ。

このようにままならない風景が描かれた理由をいくつか推測はできるものの、後藤はほかの場所を舞台とする作品でも惑乱する風景を描きつづけた。

3　場所の解放文学

後藤明生は、朝鮮からの引揚者である。いくつもの作品で一三歳までの生活を描いてお

異変や海の埋め立て、公害についてふれられ、自然との関係がくずれていく同時代の状況が描きだされている。

ゴミの島
東京湾に造成され、「夢の島」と称されたゴミ処分場の人工島のこと。高層ビルの建設ラッシュ時に出た建築残土や廃物の集積地であったが、一九七〇年代後半にはじまるウォーターフロント計画のもとで整備され、現在は人がつどえる場所となっている。

写真5　松原団地記念公園からとった団地の写真。公園の案内板によれば日本住宅公団により1961年から3年間で54ヘクタール、324棟、5926戸が建設された。2005年から建てかえがはじまり、団地の名称も「コンフォール松原」となった。駅の東側、綾瀬川沿いの旧日光街道には芭蕉ゆかりの松並木がいまものこり、駅の東西で風景が大きくことなる（2019年4月27日撮影）

写真6　松原団地西口公園に設置されたモニュメントの写真。「獨協大学前（草加松原）駅」西側に広がる松原は、かつて沼地や低湿地帯だった。江戸時代の新田開発で農村地帯となり、昭和30年代後半に「東洋一のマンモス団地」（『写真アルバム　草加・八潮・三郷の昭和』いき出版　118ページ）が登場する（2019年4月27日撮影）

り、引揚文学として再版されてもいる。後藤は宮大工の曾祖父が日韓併合（一九一〇年）直後に移住し[15]、現在の朝鮮民主主義人民共和国で生まれている。在朝系日本人の四世であった後藤にとって、朝鮮はいわば家郷であり、敗戦による離郷が場所へのむきあいかたに影響をおよぼした可能性がある。エッセイ「三つの故郷」（一九七六）は「故郷という言葉が、これがまず私をとまどわせる[16]」という言葉ではじまる。故郷と想っていた場所さえも、漂泊のなかで出会う場にすぎなかったことがそこで語られた。こうした経験から「僕の場合は、人間と場所との関係を、偶然性みたいな形で書いているわけです[17]」という後藤文学の特質が生まれている。

場所との偶然の出遭いについては、『首塚』においても言及されていた。「私」は「千葉県には無縁の人間で、たまたま漂着したに過ぎません[18]」と述べている。また、後藤がしばらく暮らした団地（写真5・6）をモデルとした『書かれない報告』（一九七一）でも、「男」は自分の暮らす場所を「たまたま抽籤に当ったため、流れ着いているだけだった」といい放つ[19]。このように後藤は場所を「漂着」や「抽籤」の結果、出遭うところと説明する。敗戦により家郷から引きはがされた経験が、場所と距離をとる端緒になったともいえそうだ。

しかし、くり返された失郷体験だけが彼の場所にたいする態度を決定したわけではない。評論家菅野昭正（一九三〇—）との対談「小説のトポロジー」（一九八五）で、後藤はなぜ場所や風景に距離をおくのかという疑問に答えていた。核心部分を紹介するまえに、対談のようすについてかんたんにふれたい。対談で菅野は、後藤の小説ではトポス（場所）が登場人物をとり巻く諸問題の基底にあると発言した。これにたいして後藤は、場そのものではなく、場との「籤をひいたような[20]」出遭い（同上）だと修正を加える。これにたいし菅野は漂泊者として場にむきあう後藤の姿勢を理解しながら、彼の小説が「トポス小説」というよりは「反トポス的なもののトポス化[21]」をめざす小説だと切り返す。後藤はこの意見に同意して、以下の発言をおこなった。

僕はそこに十年ばかり住みましたけど、草加松原の団地というものは、いわゆる歌枕的

『書かれない報告』
マンモス団地を故郷喪失者の漂着地として描く後藤明生の団地小説。居住地は団地やマンションの入居可否を決める抽選とむすびつけられ、主人公は生活の地を漂流者の眼差しで見つめる。二年後の一九七三年に出版された『四十歳のオブローモフ』や代表作の『挟み撃ち』でも、このテーマは引き継がれた。

反トポス
「歌枕」といった修辞学的な伝統を留保し、はじめて対面するという姿勢で場所（トポス）にむきあう文化的な実践。後藤明生は文化的に構築された場所の詩学を解体し、ヒトが恣意的に内面とむすびつけようとする旧来の文化実践から場所を解放しようと試みる。

トポス化
伝統的に文学的な題材とならなかった場所（トポス）

なトポスじゃないわけですね（笑）。無理に探せばあるわけですよ。『奥の細道』の最初の宿場が草加だったかな。しかし、団地というものは『奥の細道』のトポスとはまったく無縁な場所で、田んぼのど真ん中に、それこそ架空の虚構みたいな形で、フィクションみたいな形でできたものですからね。（中略）首塚だって、いわゆる歴史的に有名な首塚じゃない。つまり、文学的にトポス化されていない首塚であり、場所だったと思うんです。[22]

このように後藤が小説を書くうえで、等閑視されてきた場所を対象としていることが理解できるだろう。つまり、これまで凡庸とみなされてきたところをあえて小説の舞台とし、主題にからませたのだ。これが反トポス的なトポス小説と命名された所以である。

注意すべきは、後藤が「文学的にトポス化されていない」場所を選んだからこそ、菅野が後藤の小説に「土着的な故郷」との「ずれ」[23]を読みとったわけではない点だ。後藤が「生まれ在所をもう一回他者の眼でトポス化する」[24]と語ったように、「歌枕的なトポス」を他郷化する実践に関心が寄せられていたのである。後藤は、「外部と内部に照応関係があるという前提」に立つ「土着性に対する一種の否定」[25]を宣言した。菅野はこの背景に、「環境のなかに、人間を支配する何か見えない力があるのではないか、という考え方」[26]があると推察する。この考えかたが場所の主観的なとりこみを食いとめるのだ。

後藤は武蔵野の陰影と登場人物の心の揺れを連動させた大岡昇平の**『武蔵野夫人』**（一九五〇）を、「トポス小説と心理小説は共存できない」[27]と批判した。いっぽう、太宰治の**『津軽』**（一九四四）については、太宰が「津軽という土地を、まずこういうふうに把握し

を、その偶発的な出遭いのままに小説で描くこと。たとえば草加松原は駅の西側にマンモス団地、東側に芭蕉の『奥の細道』で描かれた千本松の景勝地がある。後藤はあえて前者のような場所を選び、牧歌的な抒情が生じないトポスとしてその地にむきあう。

「歌枕的なトポス」
和歌や絵の題材となってきた名所旧跡のこと。西洋ロマン派の影響を受けながら確立されていく明治期から戦前の美学においては、富士山が歌枕的風景表象の代表となる。太宰治は一九三九年の短編小説「富嶽百景」で、富士山は「あらかじめ憧れてゐるからこそ、ワンダフルなのであつて」と主人公に風景のみかたを批判させている。

『武蔵野夫人』
帰還兵の主人公が武蔵野という場所で戦地の自然を再

て書いてゆく[28]」という方法をとらず、故郷津軽をつきはなして書いたと評価する。野田研一が指摘したように[29]、太宰は故郷を「意識的に空間化[30]」したのである。この空間化とは「テキストのトポス[31]」から場所を解放し、「反人格的な関係の場所[32]」として表象することであった。

本を読み、くり返しおとずれるなかで、訪問先をいつしかなれ親しんだところと思いこむ。そのような場所の感覚が安易な場所の俯瞰へと駆りたてるのだ。場所をして語らしめるためには、水俣も「歌枕」から解放し、凡庸なる風景の「在所」（人や物が在る所）に差しもどすことが必要となる。環境から生まれ出ずることばを探り、そのことばから場所を読み直すことが反トポス的トポスのフィールドワークであり、後藤のめざした環境表象である。

体験しようとする描写ではじまる大岡昇平の戦後小説。武蔵野の古層や水源をもとめて、彼は思いを寄せる武蔵野夫人と散策を続ける。しかし、自然散策をとおしてみずからの体験や心情を夫人と共有する試みは、結局失敗に終わっていく。

『津軽』
戦時中に発表された太宰治の紀行文的小説。生地青森への帰郷散策を描いた作品だが、後藤明生は太宰が他者の眼で故郷を見ていると評した。太宰本人と思われる『津軽』の語り手は津軽のことを知らないと述べ、「絵にも歌にもなりやしない」郷土を前に「もはや、風景でなかつた」といい放つ。

〈引用・参考文献〉
（1）後藤明生「誰？」（一九七〇）『後藤明生コレクション2　前期Ⅱ』いとうせいこう他編　国書刊行会　二〇一七年　8ページ
（2）日野啓三『抱擁』（一九八二）小学館　二〇一八年　125―126ページ
（3）後藤明生『首塚の上のアドバルーン』（一九八九）講談社　一九九九年　182ページ
（4）同右　89ページ
（5）同右　20ページ
（6）同右　58ページ
（7）同右　71ページ
（8）同右　181ページ
（9）同右　23―24ページ
（10）同右　27ページ
（11）同右　15ページ

(12) 同右　39ページ
(13) 後藤明生『アミダクジ式ゴトウメイセイ【対談篇】』つかだま書房　二〇一七年　417ページ
(14) 『首塚の上のアドバルーン』34ページ
(15) 後藤明生『後藤明生コレクション5 評論・エッセイ』いとうせいこう・奥泉光・島田雅彦・渡部直己編　国書刊行会　二〇一七年　220ページ
(16) 同右　218ページ
(17) 『アミダクジ式ゴトウメイセイ【対談篇】』419ページ
(18) 『首塚の上のアドバルーン』190―191ページ
(19) 後藤明生「書かれない報告」(一九七一)『後藤明生コレクション2』所収　二〇一七年　121ページ
(20) 『アミダクジ式ゴトウメイセイ【対談篇】』404ページ
(21) 同右　410ページ
(22) 同右　410―411ページ
(23) 同右　412ページ
(24) 同右　413ページ
(25) 同右　422ページ
(26) 同右　413ページ
(27) 同右　421―422ページ
(28) 同右　416ページ
(29) 野田研一『失われるのは、ぼくらのほうだ　自然・沈黙・他者(エコクリティシズム・コレクション)』水声社　二〇一六年　48ページ
(30) 『アミダクジ式ゴトウメイセイ【対談篇】』413ページ
(31) 同右　423ページ
(32) 同右　253ページ

小谷一明（おだに・かずあき）

文学・歴史散歩をフィールドワークにふくめるなら、沖縄で森やガマを歩きまわった二〇〇三年がそのはじまりだ。宮古島の藪のなか、ハブのいる渡嘉敷島の山中では強烈な体験をしている。その後、京都のウトロ、生駒山の朝鮮寺、神戸の長田区を歩きまわり、いまも大阪をおとずれるたびに鶴橋から御幸森まで歩いている。東日本大震災の翌年から不知火海沿岸をおとずれているが、最近は西南の役があった山間地まで足をのばしている。地元新潟では「阿賀」がいちばん好きな地域だ。

＊　＊　＊

■わたしの研究に衝撃をあたえた一冊『面影と連れて　目取真俊短篇小説選集3』

沖縄の作家目取真俊の短編「面影と連れて（うむかじとぅちりてぃ）」（一九九九年）を読んだ衝撃が、とりつかれたように歩くきっかけとなっている。はじめて沖縄をおとずれた時、小説に描かれた風景、とくに戦中から復帰前の風景をさがしつづけた。迷いこんだ山間や森では猛烈な湿気のなか、気づくと腕が真っ黒になるほどヤブ蚊に刺されていた。かゆみで失神しかけるなかで目にした群蝶、聴こえてくるヤドカリのざわめき。小説と現実の境界が揺れ動く瞬間だった。

目取真俊著
影書房
二〇一三年

生ある未来に向け、パースペクティヴを往還せよ

――奥野克巳

1　プナンの誑かし猟

マレーシア・サラワク州（ボルネオ島）のブラガ川上流域の森に、約五〇〇〇人の狩猟民プナンが暮らしている（写真1）。トリの鳴きまねは、幼少期の、おもに男の子の遊びである。シワコブサイチョウやサイチョウの鳴き声をまねて、そっくりかどうかを競いあう。そのような遊びはやがて二〇歳をこえて、男性がハンターとして独り立ちするようになったおりには、狩猟実践において役立つ（写真2）。プナンの狩猟はヒゲイノシシをはじめ、森のなかの動物すべてを対象とする。

ハンターはシワコブサイチョウが樹冠の上を大きな羽音をさせて飛んでいるのを見つけると、樹上高くにかけのぼって、樹洞や幹と枝の交わる部分などに座り、鳴きまねをはじめる。鳴き声を聞いたシワコブサイチョウは上空を旋回しながらしだいに近づき、ハンターの前に現れる。十分に引きつけておいて、ハンターは毒矢を吹き、あるいは銃撃して止めを刺す（写真3）。

森のなかでマメジカやその真新しい足跡を見かけると、ハンターは葉を折りたたんで草

写真１　ブラガ川上流に広がる熱帯雨林

写真３　しとめられたシワコブサイチョウ　**写真２**　吹き矢による狩猟

写真4　川で木舟を漕ぐ

笛をつくり、ヒューヒューともの悲しい音色を森のなかにひびかせる。それを聞いたマメジカはたいていその場にもどってくる。ころあいを見はからって、ハンターはマメジカをしとめる。

乾季に木舟で川の漁に出かける時、漁師は掌に収まる大きさの小石を川原でたくさん集めて、カヌーの舳先においておく。サカナが倒木の下や流木のあいだにかくれていると見越して、小石を一〇メートルほど離れた舟の上から放物線を描くように川中に放りこむ。木の実が落ちてきたと思って飛びだしてくるサカナたちを誘いだすのだ。そのあいだ、舟はゆっくりと前進する。漁師は直後に投網してサカナをつかまえる（写真4）。

このような狩猟や漁撈の実践を、プナンは「ポクウォ（pekewe）」と呼ぶ。それは、「誑かし猟（漁）」と訳せるかもしれない。鳴き声で誑かしたり、木の実に見立てた小石で騙したりして獲物をつかまえようとするからである。加えて、ポクウォでは、人間は対象となる生物の側に立って、自分がどのように見え、どのように聞こえるのかを考えている。プナンは、仲間のトリが鳴いていると聞こえるようにトリを模倣し、仲間のシカが鳴いていると聞こえるようにシカを模倣し、木の実が落ちてくるとサカナに見えるように小石を投げ入れる。

プナンは、獲物のパースペクティヴ（視点）に立ち、みずからの行動を調整しながら狩猟・漁撈をおこなっている。主体である人間が、客体である獲物を能動的にねらってつかまえるというのではない。客体の立場に立って主体側がどのように見えるのか、どのように聞かれるのかを意識しながら、主体＝人間はみずからの行動をくみたてる。

2　パースペクティヴの二重性

異種間のパースペクティヴの交換を論じるに先立って、まずは文学批評を手がかりとして議論の補助線を引いておきたい。野田研一は、人間を主体とし動物を客体とする、つまり動物の「他者性」を否定する人間中心主義を乗りこえるために、他者性を担保する、人間も動物もともに主体であるような脱人間中心主義的な〈交感〉の概念を検討している[1]。野田は、そのような〈交感〉の極限的姿を、主体から客体への変身という一方的な認識でなく、同時に主体への化身が想定されている「二重化された変身」にみる[2]。

野田は、この「二重性」の正体を解明するために、三浦雅士に導かれて[3]、宮沢賢治の童話「鹿踊りのはじまり[4]」を参照している。農夫の嘉十は、六頭のシカたちが、彼が忘れた手ぬぐいを見て不思議がるのをすすきの陰からのぞき見る。やがてシカが皆で輪になって踊りはじめるのを見て、嘉十もシカになったような気がして、その場から飛びでると、シカたちはいっせいに逃げ去ってしまう、という話である。
〈交感〉とは、シカのことばを聞くことであって、シカになることではないと唱える三浦のことばを引きながら野田は、〈変身〉とは、〈交感〉の後にその必然として姿を現す行為[5]であり、「そこには、〈他者性〉の保持（この場合、鹿＝自然の他者性）、自・他の区分の維持、すなわちたんなる自・他の同一化ではないとする認識が提示されている[6]」と述べる。つまり、もっとも典型的な〈交感〉の様態でもある〈変身〉とは、自他の同一化ではなく、他者性が保持された自己であり、他者でもあるという二重性が同時達成される事態にほかならない。

三浦と野田の洞察は、シベリアのユカギールのハンターがとるべき態度として、R・ウィラースレフが描いた「人間と獲物の二重のパースペクティヴの同時達成」にぴったりと重なる[7]。そこでは、ハンターは獲物に共感し模倣するいっぽうで、獲物をしとめるということを意識しつづけるという、二重のパースペクティヴを同時に達成しなければならない。二重のパースペクティヴの同時達成こそが、狩猟の成功をもたらす鍵なのである。

この点から、「鹿踊りのはじまり」の嘉十をとらえなおしてみよう。嘉十はシカになりきってしまって、人間であることを忘れてしまった。嘉十は、人間とシカの二重のパースペクティヴを同時達成できなかったのである。

ところで、そうした二重性が達成される際の「人格性」にかんしてウィラースレフは興味ぶかいことを述べている。ハンターが獲物を人格性のない客体にすぎないととらえるならば、ハンター自身にも人格性がないと考えざるをえないという。人格としての動物にこそ、人間の人格としての意識の源泉があるというのだ。そのようなユカギールの人びとの認識は逆に、精神や理性だけでなく、人格もまた人間に固有のものであるというわれわれの考えを大きく揺さぶる。

それはまた、矢野智司が「逆擬人法」と名づけた賢治の手法にちかい。逆擬人法は、「認識の次元だけでなく存在の次元でも人間中心主義の人間の特権性を揺さぶり宙づりにする」。矢野によれば、

賢治の作品世界では、人間はもはや世界の中心という存在上の特権性をもたず、他のすべての存在者と等価であり、全存在者によって作り出される宇宙の風景の一部となる……（中略）……霊になり鹿になりよだかとなり火山岩となった眼から、人間の日常を作り出している原理の異質性が、逆に浮かび上がる。(8)

それは、人間中心主義以前に感得されていたであろう、野田のいう〈交感〉の世界にほかならない。以下でとりあげるのは、人間中心主義以前の世界における、異種間のパースペクティヴの交換／交感、すなわち「パースペクティヴィズム」の意味と広がりである。

3　人間が非人間のパースペクティヴに立つ

パースペクティヴィズムとは何か?

E・ヴィヴェイロス・デ・カストロによれば、アメリカ大陸の先住民にとってはジャガーなどの動物や精霊もまたみずからを人間とみなしている。「人間」である動物や精霊の

パースペクティヴからは、わたしたち人間は獲物とみなされる。人間はまた、動物や精霊などのパースペクティヴがいかなるものかを知ることができるとされる[9]。

E・コーンによれば、エクアドルのアヴィラの森に住むルナ人のパースペクティヴィズムは「生き延びていくという難問への応答[10]」である。つまり、パースペクティヴィズム[11]は捕食すること、捕食される（捕食されない）ことに実用的にかかわっている。あるルナの男は、川の岩の下にひそむヨロイナマズに気づかれないようにするために、ショウガの一種の果実を砕いたもので手を濃い紫色に塗っていた。人間はナマズに、手の動きが見えないように接近してつかまえる。人間がサカナのパースペクティヴを先回りして想像している点で、そこでは、実用的なパーステクティヴィズムが作動している。

ルナはトウモロコシを食べにくるメジロメキシコインコを追いはらうために、インコが恐れる猛禽類の目と顔を板の上に彫って、「インコ嚇かし（案山子）」をつくる。それはトウモロコシ畑におかれ、毎年たくさんのインコを追いはらうことに成功する。インコは、猛禽類がおそってくるにちがいないと解釈して、それがおかれたトウモロコシ畑に近づこうとはしない。ルナは、インコのパースペクティヴに立つことで、つくられたインコ嚇かしが猛禽類に見えることを知っている。

ウィラースレフによれば、ユカギールのハンターは狩猟前日の夕刻から「目に見えない」次元で、獲物であるエルクを「誘惑」しはじめる。ハンターはウォッカなどの舶来品を火中に投げ入れ、エルクの支配霊を淫らな気分にさせて、夢のなかで性的にむすばれる。すると、翌朝ハンターがエルクの皮でおおわれたスキーを履いてエルクのような音を出し、よたよたと揺れ動きながら前進してエルクを「模倣」しはじめると、性的興奮の絶頂を期待して、エルクがハンターめがけて走りよってくるという。ハンターはエルクを十分に引きつけておいて、最後の瞬間に銃で撃ち殺す[12]。

人間は、ナマズやエルクのパースペクティヴに注意をはらいながら、みずからの生態学的な課題を達成する。また、栽培した食糧を横取りされないために、インコのパースペクティヴに立って、インコの行動を制御する。

4　非人間が人間のパースペクティヴに立つ

パースペクティヴィズムが動物を対象として、人間のみで作動するのかというと、必ずしもそうではない。この点にかんして、コーンがとりあげた、ウーリーモンキーの事例が示唆に富んでいる[13]。

人間が引きおこした衝撃音は、樹上のウーリーモンキーに危険が差しせまっていることを知らせた。ウーリーモンキーはその爆音を記号として受けとって、退いたのである。衝撃音は、人間がねらいを定めやすくするためにウーリーモンキーを見晴らしのいいべつの木に移動させようとして立てられたのだった。人間による銃撃が成功するのは、人間の先読みがウーリーモンキーによる先読みを上回るからにほかならない。

ウーリーモンキーもまた、人間（相手）が何をしようとしているのか、現象が何をもたらすのかを解釈していることになる。とびのく前にみずからをおそってくる人間のパースペクティヴを想像したのだとすれば、ウーリーモンキーもまた、パースペクティヴィズムを作動させていたのだといえないだろうか。３節で見たように、サカナがいかに行動するのかを人間が見抜いて漁撈をしたり食糧を奪われないためにトリの恐怖心を先読みしたりするのと同じように、動物もまた、人間がいかに行動するのかを先回りして読んで行動する。

5　非人間がほかの非人間のパースペクティヴに立つ

コーンの『森は考える』のテーマは、人間以外の生物の「思考」である。コーンはC・S・パースの「記号過程」を考察の基礎におく。記号過程とは、あるものがだれかにたいして何かを意味することである。ここでいう「だれか」とは必ずしも人間だけではない。生きとし生けるものすべてが、記号過程のなかにいる。前述の事例で、人間が引きおこした衝撃音におどろいて逃げたウーリーモンキーが命拾いをしたのであれば、記号過程の結果として「生命」が維持・持続されたことになる。ウーリーモンキーはその記号過程のなかで「思考」していたのだともいえよう。その意味で、ウーリーモンキーもまた人間と同じように思考する「自己」である。

記号は精神に由来しない。むしろ逆である。私たちが精神あるいは自己と呼んでいるものは、記号過程から生じる(14)。

人間も人間以外の生物もともにだれか／何かから記号を受けとり、だれかに記号を伝える記号過程の中継点であり、その過程で思考する自己として立ちあがる。そのような記号

C・S・パースの記号論の体系
パースの記号過程は、イコン、インデックス、シンボルから成る。イコンとはカメレオンが擬態して、周囲の自然にとけこんでいることで表されるような類像記号である。インデックスとは、旗がはためいていることによって風が吹いていることが表されるような指標記号である。シンボルとは、結婚指輪が結婚の合意を表象するように、対象に恣意的にむすびつけられる規約的な記号である。このうち、シンボルだけが人間特有の表象様式である。

過程で作動するものがパースペクティヴィズムにほかならない。コーンが説明する、オオアリクイとナナフシのパースペクティヴィズムについてみてみよう。

オオアリクイは長い鼻をアリの巣穴に差しこんでアリを捕食する。コーンによると、「幾世代にもわたって、アリクイの鼻は、アリの巣のかたちの何かをさらなる確度をもって表象するようになった[15]」。つまり、アリクイは明確な意識や内省なしに、アリの巣穴の形状を記号として受けとり捕食にあたり、その精度を上げてきたのである。「アリクイがアリの巣の中に舌を差し込むとき、アリはそれを枝と見て、疑わずにそれを登ってしまう[16]」のだとすれば、アリクイはアリのパースペクティヴに立って、アリを捕食しているのだといえよう。

ナナフシは、トリなどの捕食者から見て周囲の木枝と区別がつかないように擬態する。幽霊のようにその背景にとけこむため、その学名は"Phasmatodea"（ファントムのような生物）である。個々のナナフシが捕食者のパースペクティヴに立ってみずからがいかに見えるかを意識しているとはいえないが、捕食者に気づかれなかったナナフシの系統が生きのこった。それらは、捕食者のパースペクティヴに立って、枝切れのように見えることに成功したナナフシの子孫である。

相手が何を見ているのかを先回りして考え、みずからの行動を制御する。生物は進化の時間の流れのなかで、そのようにして、捕食という目的を達成したり、捕食されないように工夫したりしてきた。3節と4節で見たように、パースペクティヴィズムは人間とほかの動物のあいだにかぎられるものではなく、生物どうしのあいだでもまた作動する。

6　擬態のなかのパースペクティヴィズム

W・ベンヤミンは模倣にかんするよく知られた論考のなかで、類似を生みだす最高の能力をもつのは人間だとしながらも、その能力の淵源には、自然のなかに諸々の類似を生みだす生物の擬態があったことをほのめかしている。[17] 以下では、前節でみた、進化過程における種間のパースペクティヴィズムと対照させて、「いまとここ」で観察される生物のパースペクティヴィズムにかんして、日高敏隆がとりあげるカミキリムシとチョウの事例から考えてみたい。

カミキリムシは、後翅だけで飛ぶ。カミキリムシのなかには、トリに捕食されないように、ハチに擬態しているものもいる。ハチに擬態したカミキリムシは通例に反してハチのように翅をとじて飛ぶため、捕食者から見ればハチが飛んでいるように見える。「そうなると、このカミキリムシは自分がハチになっていることを『知っている』ことになりますね。これはじつにわからないことなんです[18]」と日高は述べている。

トリが吐き出してしまうほどまずいチョウがいる。それには悠然と飛ぶ習性がある。それとそっくり擬態したチョウがいる。本来はすばやく飛ぶが、擬態したチョウをまねて悠然と飛翔する。ところが、日高がこのチョウをつかまえようとすると、たちまち本性を露わにしてものすごいスピードで逃げるという。

本当にまずいほうのチョウは、何度そんな目にあっても、決してあわてふためいたりせず、あいかわらず悠然と飛んでいるんですね。どうもこの場合にも、まねしたほうのチョウは、自分が他人のまねをしている、ほかのものになっているんだということを知っていることになりますね。そこが不思議なんです。[19]

ハチに擬態したカミキリムシは、はたしてみずからハチをまねていることを知っているのだろうか？　まずいチョウに擬態したチョウは、自分がまねをしていることを知っているのだろうか？　そうしたことを、日高は不思議に思っている。小論でみてきたように、虫たちもまたパースペクティヴィズムを作動させているのだとすれば、その疑問に答えることができるだろう。虫たちは、潜在的な捕食者から記号を受けとる時、みずからがいかに見えるのかを考えて行動するのだ。

これまでみたように、パースペクティヴィズムは記号を受けとったり――ウーリーモンキーが人間の行動を解釈する――記号を伝えたりする――人間が川底にひそむナマズに素手で接近する――時などに作動する。虫もまた、相手がいかに自分のことを見ているのかを思考する。

これまでの議論をふまえるならば、ベンヤミンにならって、パースペクティヴィズム理解の構造の根本的転換がはかられねばならない。捕食にかかわる虫の行動こそが、人間によるパースペクティヴィズムの原点なのである。

7　生ある未来の探索

小論では、パースペクティヴィズムを土台に築かれていたプナンの狩猟・漁撈実践を皮切りに、捕食をおこなう際に人間がいかに生物のパースペクティヴに立つのかをみたあとで、生物もまたほかの生物のパースペクティヴに立って捕食行動をくみたてていることをみてきた。捕食される側および捕食する側のパースペクティヴに立ってみずからがどのように見えるのかを考えるのは、人間による文化的行動ではなかった。それらは、喰うため／喰われないための生物行動の延長線上に築きあげられてきた「生物＝文化的」な行動である。パースペクティヴィズムにかんしては、人間以外の生物と人間は断絶しているのではなく、連続している。

上妻世海は記号（情報）と身体との関係にかんして以下のように述べている。

> 得られる情報は身体との循環構造を作り出す。流れの中で得られた情報によって、身体が制御され、その制御によって、また異なる情報が流れの中から得られる。[20]

人間だけでなく、あらゆる生物が、実際にやってみることによって未来の情報を生みだしながらその先へとすすみ、あるいは引き返すという往還運動をくり返している。**生ある未来**に向け、捕食するために、あるいは捕食されないために、探索する行為を続けるなかで、パースペクティヴィズムが生み落とされたのだといえよう。ゆえに、プナンのポクウォ（誑かし猟〈漁〉）でも、獲物による人間のパースペクティヴのとらえかたが適切だった

生ある未来
コーンの『森は考える』の最終章（第6章）のタイトル。その章は、捕食者によって枝切れに見えず、食べられてしまったナナフシたちの「軽くなった死者のはかり知れない重さ」のおかげで、ナナフシの「生ある未来」が作りだされたことに関係する。コーンはいう。「全ての記号過程は、成長し、生ある限り、未来をつくりだす」（『森は考える　人間的なるものを超えた人類学』356ページ）

ならば、獲物は生ある未来を手に入れることができる。

小論では、狩猟民プナンでのフィールドワークから得られた観察データを人間的なるものをこえた領域に投げ入れて拡張し、パースペクティヴィズムが、人間と非人間の関係だけにとじたものではないということを論じた。人間の思考や行動のみに絞って人間を考えるのではなく、人類学が研究対象とする人びとが考えるのと同じように、人間的なるものをこえた地点から人間を考えてみるというあらたな展望が今日、文化人類学において広がりつつある。

〈引用・参考文献〉

(1)野田研一『失われるのは、ぼくらのほうだ　自然・沈黙・他者』水声社　二〇一六年　311―312ページ
(2)同右　313ページ
(3)三浦雅士「舞踊の身体のための素描」『批評という鬱』岩波書店　二〇〇一年　65―108ページ
(4)宮沢賢治「鹿踊りのはじまり」『注文の多い料理店』新潮文庫　一九九〇年　109―122ページ
(5)「舞踊の身体のための素描」93ページ
(6)『失われるのは、ぼくらのほうだ　自然・沈黙・他者』316ページ
(7)ウィラースレフ、レーン『ソウル・ハンターズ　シベリア・ユカギールのアニミズムの人類学』奥野克巳・近藤祉秋・古川不可知訳　亜紀書房　二〇一八年
(8)矢野智司『贈与と交換の教育学　漱石、賢治と純粋贈与のレッスン』東京大学出版会　二〇〇八年　142ページ
(9)ヴィヴェイロス・デ・カストロ、エドゥアルド「アメリカ大陸先住民のパースペクティヴィズムと多自然主義」近藤宏訳『現代思想』44(5)青土社　二〇一六年　41―79ページ
(10)コーン、エドゥアルド『森は考える　人間的なるものを超えた人類学』奥野克巳・近藤宏共監訳　近藤祉秋・二文字屋脩共訳　亜紀書房　二〇一六年　170ページ
(11)『森は考える　人間的なるものを超えた人類学』、『ソウル・ハンターズ　シベリア・ユカギールのアニミズムの人類学』
(12)『ソウル・ハンターズ　シベリア・ユカギールのアニミズムの人類学』

(13)『森は考える　人間的なるものを超えた人類学』
(14)同右　64ページ
(15)同右　131―132ページ
(16)同右　170ページ
(17)ベンヤミン、ヴァルター「模倣の能力について」『ベンヤミン・コレクション②エッセイの思想』浅井健二郎編訳　ちくま学芸文庫　一九九六年　76ページ
(18)日高敏隆×観世寿夫「対談・なりいる」『観世寿夫著作集二　仮面の演技』平凡社　一九八一年　183ページ
(19)同右　183―184ページ
(20)上妻世海『制作へ　上妻世海初期論考集』オーバーキャスト　二〇一八年　53ページ

奥野克巳（おくの・かつみ）

大学二年の時（一九八二年）、『世界の民族』（平凡社）巻末の民族リストを見て、メキシコのシエラマドレ山脈中に住むテペワノ人の村に単独で行ったのが最初のフィールドワークだった。翌年東南アジアを旅し、バングラデシュで仏僧になり、翌々年にはトルコ・クルディスタンを歩いた。その後、インドネシアを一年間放浪の後、文化人類学を専攻し、ボルネオ島カリス、つづいてプナンで長期の人類学調査、ニューギニアやモンゴルなどで短期調査をおこなった。

＊　＊　＊

■わたしの研究に衝撃をあたえた一冊『失われた足跡』

始原への旅という、わたしを人類学に導いた一冊である。音楽家は南米のジャングルを旅し、現地の若い女ロサリオと出会う。始原の地でのロサリオとの暮らしは彼に精力と創造力を張らせる。音楽の作曲用の紙を得るために都会に一時もどるが、そこにあるのは、身体器官の意思からかけ離れた、現代を支配する呼吸のリズムだった。再び始原へと旅立つが、たどり着くことができない。永久に閉ざされてしまう桃源郷。現代と始原との残酷なまでの隔たりを描きだす。

カルペンティエル著
牛島信明訳
岩波書店
二〇一四年

交感論の展開と現在の視座 「他者」と「近代」へのまなざし

――山田悠介

はじめに

交感論とは、〈交感〉(correspondence)という概念を検討に付すことをとおして『『人間にとっての自然の心的な価値』を測る」とともに、「『自然―人間の関係学』をより根源的に問い直す」ことをめざす人文科学系の学問である(野田二〇一七:7〜8)。

交感ということばは分野によってさまざまな意味でもちいられているが、環境文学研究やその関連分野で展開される交感論においては「人間と自然とのあいだに何らかの対応関係を見いだす感覚あるいは思考」(野田二〇〇七:152)や、「自然と人間のあいだに生起する呼応・対応関係」(野田二〇一七:3)をさすことが多い。[1]

本稿では、この交感という概念を軸に、「自然」は人間にとってどのような存在か、自然と人間は過去・現在・未来において、どのような「関係」を築いてきた/いる/ゆくのかといった問題を領域横断的に探究する交感論の動向を、「他者」と「近代」というふたつの視座から整理してみたい。

〈交感〉(correspondence)「照応」、「呼応」、「感応」などの訳語がもちいられる場合もある(野田二〇〇七:152)。

1　ロマン主義的交感からの脱却

右記の文脈における交感論の課題のひとつは、自然を、人間にとっての「他者」としてとらえる可能性を探究することにある。交感論でこの「自然他者論」（野田二〇一六：20）の問題に焦点があてられるのは、交感が、自然の「他者性」を見失わせる契機となる場合があるからである。

「人間と自然とのあいだに何らかの対応関係を見いだす感覚あるいは思考」にもとづき、両者のあいだに「呼応・対応関係」を認める。そうしたタイプの交感の例として、たとえば、日蝕、月蝕、新星や彗星の出現などの天上の出来事と、地上の出来事（政変、飢饉、人間の運命など）をむすびつける「占星術」[2]や、動物と人間の外見上の類似性をよすがに人間の性格や内面を読み解く「動物観相学」[3]などをあげることができるが、注目したいのは、これらがいずれも、人間が（恣意的に）定めたルールにもとづいて自然や自然現象を「解読」することでなりたっているという点である。星も、動物も、そこでは「ただのモノ」ではない。「モノ」＝「存在物」であると同時に（吉凶の予兆や人間の性格など）何がしかの〈意味〉をもつ「記号」でもあるのだ（野田二〇一七：15〜17）。

たしかに、自然を何らかの〈意味〉が付与された「記号」とみなすことや、記号化された自然を〈読む〉ことは人間が自然とかかわるひとつの方法――それもかなり普遍性の高いふるまいである――にちがいない。しかしながら、そこにはある陥穽がひそんでいるのではないか。解読可能な、〈意味〉をもつ「記号」として自然を見ることで、自然が「記号」に還元しえない「存在物」であることや、自然が人間の理解のおよばない「他者」で

交感論の課題のひとつ
これは、文学における自然環境と人間の関係に焦点をあてる環境文学研究や、エコクリティシズムと呼ばれる批評理論の研究テーマのひとつでもある（野田二〇一六：17）。

人間が自然とかかわるひとつの方法
たとえば、さまざまな時代や文化のなかで、ある特定の虫や動植物を目にすることが吉兆／凶兆ととらえられてきたことを想起されたい。板橋（二〇〇九）やトマス（一九八九）を参照。こうした迷信も、占星術と同じように、自然と人間のあいだに因果関係を認めるタイプの交感であるといえる。

ある可能性が見逃されてしまうのではないか。こうした問いが、一九世紀アメリカのロマン主義期の交感にかんする研究のなかで長年議論されてきた。そこで検討されてきた「**ロマン主義的交感**」と呼ばれるこの交感の「原理」は、端的にいえば、自然という「モノを代行＝表象的に、何かべつのものとして見る」ことにある（野田二〇〇三：22、強調は原文）。たとえば、自然を、自然に眼差しをむける自分自身の心情や感情「として見」たり、あるいは、自然に（キリスト教的な）**超越的／象徴的意味**を見いだしたり（先述した占星術と動物観相学にも基本的にはこれと同じメカニズムがはたらいているといっていい）。そこでは自然は、人間が見たいと欲する〈何か〉を見るための媒体ないしは手段でしかない。そこでの自然は、人間にとって不可知な「他者」ではありえない。

「人間を主体（subject）と想定し、自然を客体（object）と想定する、いわば人間中心主義」（野田二〇一六：311）に染めあげられたロマン主義的交感からの脱却。それが、本稿で俎上にのせる交感論のもっとも重要なテーマのひとつである。そして、その鍵となる概念が、自然の「他者性」なのだ（野田二〇〇三、二〇一六）。

2 「他者」としての自然へ

自然を客体、すなわち「声も主体もない存在」としてではなく、「『声も主体もある』存在と認識する思想的な構え」をもつこと。それを野田は、「自然の他者化」と呼ぶ（野田二〇一六：20）。

その可能性を考える重要な手がかりとして注目されているのが、教育学者の矢野智司が

ロマン主義的交感
その成立には、ラルフ・W・エマソン（一八〇三―一八八二）とヘンリー・D・ソロー（一八一七―一八六二）が大きくかかわっていると考えられている（野田二〇〇三）。なお、エマソンが影響を受けたエマヌエル・スウェーデンボルグ（一六八八―一七七二）の「照応」の理論およびふたりの関係については、シューエル（二〇一四：208〜214）を参照。

超越的／象徴的意味
物理的な自然だけでなく、一八世紀から一九世紀に流行した風景画や自然詩に描かれ詠まれた表象のなかの自然もまた同様に、「何かべつのものとして」――風景画＝宗教画、自然詩＝宗教詩という構図のなかで、キリスト教的な意味をもつ〈何か〉として――表現され解釈されたという（野田二〇〇三：42、二〇一七：

提唱する「逆擬人法」である[4]（二〇〇二）。矢野が「逆擬人法」と呼ぶ宮沢賢治の擬人法は、人間と「多数多様な存在者たち」の異質性を浮き彫りにするという。なぜそれが可能になるかといえば、物語のなかで擬人化された「多数多様な存在者たち」（動植物や鉱物など）が発することばがまぎれもなく人間のことばと同じものであるにもかかわらず、人間はそこで何がいわれているかを理解することができないからである。自分たちと同じことばを使っていることはわかるのにその内容はわからないという不気味さ、その落差が、「多数多様な存在者たち」がそれぞれに「人間にとって不透過で不透明な異質性を背負っている」ことを顕在化させるのだという。

「人間の声だけが語る世界を、多数多様な存在者たちの多声がたがいに響きあう世界に変えてしまう」この擬人法はまた、人間だけが〈声〉をもつ「主体」であり、人間の〈声〉が唯一絶対のものであるという近代的な文化や社会で自明とされるような価値観をつきくずす。別言すれば、人間を「主体」、自然を「客体」とする、固定化された関係を解体する。逆擬人法がもちいられる時、「人間はもはや世界の中心という特権性をもたず、他の存在者と等価であり、全存在者によって作りだされる風景の一部となる」（強調引用者）。

ここでの議論のポイントは、人間を「風景の一部」以上でも以下でもない存在たらしめる逆擬人法は、通常の擬人法のように「動物や異類の存在者がもつ異質性を、理解可能な同質性へと変換させる」ものではない、ということだ。自然を人間の領分に引きこむのではなく、人間を自然の側へと導くレトリック。それを矢野は、「人間の方が世界化＝脱人間化される生の技法」と呼ぶ（矢野二〇〇二：80～83）。そして野田は、この「世界化」を「『人間の声だけが語る世界』（人間中心主義）から『多数多様な存在者たちの多声がたがい17～18）。

ロマン主義的交感からの脱却
野田は、こうした志向性をもつ交感論を「ポストロマン主義的交感論」と呼んでいる（二〇〇三、二〇一六、二〇一七）。

自然の他者化
野田がべつの論考で、「〈他者化〉とはたんに疎遠な関係に置くことではない。自然の主体性、固有性、自立性を認知することである」と述べていることも参照（二〇一八：108）。

宮沢賢治
一八九六―一九三三。岩手県花巻出身の作家・詩人。「銀河鉄道の夜」、「注文の多い料理店」、「なめとこ山の熊」などの作品で知られる。「逆擬人法」以外にも、食、生と死、野生など、その文学には、自然と人間の関係を考えるためのテーマに響きあう世界』（環境中心主義）に移行すること」、「自然があくまでも他者のまま、なおもそこに呼応する関係＝『交感の体験』が生じる事態」と位置づけるのである（二〇一六：58）。かくして、矢野の議論はポストロマン主義的交感論とひびきあい、ロマン主義的交感とは異質な交感――「自然の主体性、固有性、自立性」が浮き彫りにされる出来事としての交感（野田二〇一八：108）――の可能性を考える糸口となるのだ。

この逆擬人法および世界化の考えかたが直接引かれているわけではないが、矢野を参照する野田（二〇一六）にも言及しつつ、「東アジアの鴉鳴占卜文化」を論じた歴史学者の北條勝貴の論考でも、同様の視座から自然の〈声〉に注目されている（二〇一七）。北條は、「鳥が何らかの言葉を発し、人間には知りえない未然の出来事を語っているとの発想は、人類文化の初期の頃から存在したに違いない」としたうえで、東アジアのさまざまな時代・文化にみられる「鳥への関心は、自分が鳥を対象として捉えているのではなく、実は鳥の方が自分たち人間をみて何かしら話をしている、それが自分たちの未来に関わるのではないかという不安、居心地の悪さに発しているのかもしれない（文字どおり、自然環境を他者として捉えているがゆえの感覚だろう）」と指摘している（304～305、強調は引用者）。自然と交感する（その〈声〉に反応・呼応する）なかで、自然を「声も主体もある存在」として、また、人間とは異質な（あるいは人間

写真１　鳥と電柱のシルエット（写真提供：photo AC）

やヒントが多くふくまれている。山里（二〇一〇）、赤坂（二〇一七）などを参照。宮沢賢治の表現方法と交感の関係については、矢野（二〇一七）を参照。

世界化
「世界化」について、野田は矢野（二〇〇二：82）のことばを引用しながらつぎのようにも述べている。「矢野のいう〈世界化〉とはひとが自然に向かってその存在を開くことであり、それは、他者としての自然を認知することにほかならない。この場合、自然はむろんのこと〈私〉ではなく、〈私〉の一部でもなく、〈私〉に同化されるものでもない。〈私〉にけっして同化されえない、固有の存在という意味での厳然たる他者。」（野田二〇一六：58、強調は原文）。

にははかり知れない力をもった）存在として認識するとともに、人間を自然にとっての「客体」（眼差される側）ととらえる人びとの姿を浮き彫りにするこの論考にも、「自然の他者化」や、逆擬人法および世界化につうじるみかたを認めることができよう（写真1）。

3　〈変身〉の問題域

自然の「他者性」の問題を考える手がかりとしてもうひとつ注目されているテーマが〈変身〉である。[5] 自然から人間への、そして、人間から自然への〈変身〉が交感論で俎上にのせられるのは、そこに自然と人間のあいだの「対応関係」が認められるからである。

石牟礼道子（一九二七―二〇一八）の『椿の海の記』に描かれている人から狐への変身譚を分析した野田（二〇一七）は、この変身譚が「変身とは対象への一元的同一化ではなく、むしろ二元化＝二重化、つまり〈私〉と〈私〉ならぬものの**重なり**を引き受けることにその本質があることを示唆している」と喝破する（強調は原文）。〈変身〉を、自然と人間の「完全な同一化」や「単純な一体化」としてではなく、ズレつつ重なる＝「二重化」ととらえる視座は、たとえ両者が「呼応・対応関係」をとりむすんだとしても、それでもなお「他者性が保持される」、そのような交感関係が成立しうることを示している（20～23）。

人間は自然に「なる」けれども「**なりきらない**」（23、強調は原文）。〈変身〉を「二重化」ととらえる議論は、前節で見た擬人化をめぐる議論ともふかく関連している。擬人化であれ逆擬人法であれ、人間が人間のことばをつかって自然の〈声〉を語ることは、

『椿の海の記』
朝日新聞社、一九七六年。『苦海浄土　わが水俣病』で知られる石牟礼道子が、幼少期に経験した出来事をもとに綴った作品。自身の家族の話や、彼女が生きた昭和初期の水俣の町のようす、ゆたかな自然、人びとと自然とのかかわりやそこから浮かびあがってくる自然観、食や農事、土地に伝わる儀礼や民話などが織りこまれている。

「〈私〉」が「〈私〉ならぬもの」と〈なって〉ことばを紡ぐことなのだから。もちろん、そうした語りが必ずしも「〈私〉と〈私〉ならぬものの重なりを引き受ける」という「二重化」の認識のもとでなされるとはかぎらないが、そこから自然の「異質性」や「他者性」が浮き彫りになることもあるのだ。

ところで、野田は文芸評論家の三浦雅士の舞踊論[6]を参照しながら石牟礼作品の変身譚を分析し、交感と「二重化」の問題を考えているが、もうすこし視野を広げてみると、たとえば人類学者のレーン・ウィラースレフが論じる「狩猟」[7]や、思想家・社会学者のエドガール・モラン[8]、矢野（二〇〇六）、文芸批評家のエルザベス・シューエル[9]らが俎上にのせる「ごっこ遊び」、あるいは哲学者・坂部恵がものした「〈かたり〉」にかんする論考[10]などでも、〈変身〉的な事態や出来事は、〈自〉と〈他〉の「二重化」ないし「多重化」ととらえられていることがわかる。[11]

ここではくわしく論じる余裕はないが、たとえばシベリアの先住狩猟民のユカギールの人びとの狩猟について論じたウィラースレフ（二〇一八）によれば、ユカギールの狩猟者たちは狩猟を成功に導くために、「狩猟者であると同時に動物でもある」という「二つのアイデンティティの間で行動する」という[12]（165、強調は引用者）。野田は先に引用した論考のなかで、石牟礼の変身譚では、変身中の主人公の幼女が「『白狐の仔』であり、同時に『人間の子』であるという二重性の認識が、何ともこともなげに語られ」ている（二〇一七：20～21、強調は引用者）と述べているが、傍点で示したように、野田とウィラースレフのことばには共通点を認めることができる。もちろん、**両者の相違点**にも考慮すべきであることはいうまでもないが（26）、こうした共通点もあることをふまえると、さまざま

両者の相違点
本稿では「二重化」という概念に着目し、ウィラースレフが論じるユカギールの人びとの狩猟を「〈変身〉的な事態ないし出来事」の一例としてとりあげたが、ウィラースレフが「変身」ということばを、獲物の「パースペクティヴだけに身を委ねること」（168）、「獲物になってしまう」こと（165）をさすことばとしてもちい、本節でみた「狩猟者であると同時に動物でもある」という体験と区別していることに注意をうながしておきたい。この問題を論じるには別稿を要するが、ウィラースレフが「変身」をこのようにとらえているとすると、当然、ユカギールの狩猟における「二つのアイデンティティ」の問題を交感論の文脈のなかでとりあげる際には、それを〈変身〉の一種と位置づけることが妥当なのかが問われなければならない。も

な分野で蓄積されてきた知を積極的に援用していくことで、近年の交感論で注目されている、「他者になりきらない存在論の世界」（23、強調は原文）をめぐる議論を深化させることが可能になると思われる。

　このように、「自然の他者化」をめぐる議論の核心を突く〈変身〉という主題は、交感論を多分野にひらく結節点となるのみならず、交感とは何か、自然と人間の「対応関係」とは何か、という本質的な問いをわたしたちに投げかけてくる。交感論のなかで〈変身〉の問題を俎上にのせる研究は端緒についたばかりだが(13)、今後の展開が注目される。

　ここまで、交感論を牽引する野田の研究をおもに参照しながら、交感論の概要と交感論における自然の「他者性」をめぐる議論についてまとめてきた。次節では、「近代」というキーワードを軸に、交感論の動きと展望についてみていきたい。

4　「近代」への眼差し

　自然にたいするみかたは「近代」において、具体的には「西欧の一七・一八世紀に」大きく「転換」した。自然は（また「人間の肉体」も）「アニマ」をもつ「生きている自然」ではなく「モノとしての自然」ととらえられ、徹底的に「事物化」されるようになっていった。「近代化」をめぐる今村（二〇〇〇：94〜98）のこうした議論を参照しながら、野田（二〇一七：8〜10）は、現在にも引き継がれている「近代」的な自然観と人間観——「人間を主体（subject）と想定し、自然を客体（object）と想定する」みかた（本稿第1節参照）

ちろん、ウィラースレフの議論が交感論と接続可能なのか、そもそも交感論における〈変身〉をどのように定義するかという、より根本的な問題も同時に検討される必要がある。むろん、同様の問題はウィラースレフの論考以外の論考を参照する場合にもあてはまる。

さまざま分野で蓄積されてきた知
本稿では、交感を「二重化」ないし「多重化」ととらえる論考に着目してきたが、たとえば、「狩猟」、「模倣（ミメーシス）」、「舞踏」などをキーワードに「交感」について論じる今福（二〇一七）は、交感を「一体化」ととらえる立場に立脚しながら魅力的な議論を展開している。交感と〈変身〉の問題を考えるためには、こうした立場のことなる議論も視野に入れつつ検討していく必要がある。今後の課題である。

――が創りだされていった経緯をふまえつつ、「アニマの復権を基底としてポスト近代を問う」ことを交感論の課題のひとつにあげている。

　こうした問題にとり組む時に不可欠なのは、今村や野田が注目している「西欧の一七・一八世紀」におきた「人間にとっての自然の心的な価値」の推移をていねいに追ってゆくことだろう。従前の環境文学系の交感論ではあまり注目されてこなかったが[14]、その変化に「交感」が、とりわけ、西欧で古くから受け継がれてきたマクロコスモス（大宇宙）とミクロコスモス（小宇宙＝人間）のあいだに対応関係を認める「照応」の思想がかかわっていることは、やはり見逃すことができない[15]。たとえば、一七世紀の英詩を分析し、「照応」の思想が同時代の自然科学の諸発見によって異物／遺物となっていく様を克明に描きだしたニコルソン（一九九九）（写真2）。「古い習慣はそう簡単には死なないこと、長い歴史を誇る世界観や人間観は一瞬のうちに変るものではないこと」（189）にも目配りされたこの論考は、近代の黎明期における価値観の「転換」の道行を、とりわけその複雑さを、交感論の視点から再考するためのよき道標となるだろう。

写真2　M. H. ニコルソン『円環の破壊　17 世紀英詩と〈新科学〉』

　また、いささか突飛にうつるかもしれないが、エドワード・リアやルイス・キャロルの文学を論じた、ノンセンス論の古典として知られるシューエル（二〇一二）も、この問題を考えるうえで大きな示唆をあたえてくれると思われる。本稿のこれまでの議論をふまえつつ、シューエルが「ノンセンス」の本質を、

「アニマ」
今村（同書：90〜98）によれば、「アニマ」とは、「霊性」や「霊的状態」をさすことばである。今村は、「人間の原初的な生」において、人間は万象にアニマがあると感じていた、と考える。また、供犠を、アニマをもつ（とされた）万象をアニマなき〈モノ〉（物体）に「変換」する行為と位置づけ、人間はそうした行為を経てはじめて万象を「物体的」ないし「道具的」に、「事物」として「処理」することが可能になるとする。今村が強調するのは、「近代」という時代の成立とその進展に、アニマの存在を忘れさせるほどの徹底した「変換」ないし「事物化」があったということである。

「照応」
「照応」の訳語があてられることが多いが、「交感」と訳されることもままある。

世界を分解・分析し、「生命のない『もの』、死物とみな」すこと――今村のいう「事物化」――に見（シューエル二〇一二：383）、それをのりこえる手立てとして「『……ごっこ（make-believe）』のゲーム、『見立て（representation）』の遊戯」（334）のふたつをあげていること、加えて、シューエルの論にはつねに「近代」とは何かという問いが伏流しているという高山宏の卓抜な「解説」（396）を参照する時、「近代」をめぐる交感論の議論とシューエルのノンセンス論が交叉する地点が見えてこよう。「過去」にむけて放たれた光は「現在」をも照らしだし、わたしたちがいかに考えているかを、そしていかに考えられなくなっているかを知らしめる。わたしたちが知らず知らずのうちにとらわれている思考の檻を突破する途が、そこからひらかれることもあるだろう。

近代化によって何がもたらされ、何が失われたのかを考えるうえでもうひとつ注目すべきは、西欧以外の文化や社会における交感である。これまでも文学研究の立場から、西欧の（近代的な）交感とは異質な交感について論じられてきた（結城二〇〇八、喜納二〇一七など）が、「近代を経由しない」交感（奥野二〇一七：267）について研究する動きが、文学以外の分野においても近年とみに活発化している。具体的には、歴史学の視座から交感の問題にアプローチしている北條（二〇一七）、ボルネオ島の狩猟採集民プナンの交感について分析するとともに、人類学の先行研究から交感にカテゴライズしうる事例を見いだそうとする奥野（二〇一七）、フィジーの儀礼スピーチという「コミュニケーション」を言語人類学的に分析した浅井（二〇一七）などがあげられる。交感を多角的に検討するうえでも、「現代」における自然や交感の〈意味〉を問いなおすうえでも、「西欧」や「近代」に限定されない交感について議論することはきわめて重要であり、今後もこうした動きは

たとえば、坂部（二〇〇七a）を参照。

「照応」の思想
なお、ニコルソンはマクロコスモスとミクロコスモスという二項関係ではなく、「マクロコズム」（宇宙）、「ジオコズム」（地球）、「マイクロコズム」（人間）という三項関係のなかでこの時代の「照応性（コレスポンデンス）」を検討している（39）。

エドワード・リア
一八一二―一八八八。ヴィクトリア朝を代表する英国のノンセンス詩人・画家。『ナンセンスの絵本』などで知られる。リメリック詩（五行脚韻詩）を多くのこした。シューエルはその作品の特徴として、単純、具体的、描写的、会話がすくないことをあげている（24）。

ルイス・キャロル
一八三二―一八九八。本

さらに広がっていくと予想される。

おわりに

以上、本稿では、「他者」と「近代」というテーマに焦点を絞り、文学（とくに環境文学研究）、教育学、歴史学、人類学、哲学などの人文科学の諸分野で展開されている交感論の概要をまとめるとともに、今後の課題について述べてきた。ここでとりあげた研究はしかし、交感をめぐる学のほんの一部にすぎない。交感論の射程の広さやここでふれることができなかった主題や問題点については、本稿で論及した論考に加え、雑誌『水声通信』第24号の「［特集］交感のポエティクス」（水声社）や、野田研一編著『〈交感〉自然・環境に呼応する心』（ミネルヴァ書房）（写真3）所収の論考などを参照されたい。

さまざまなテクストやふるまいから見えてくる交感の具体的なありよう、それぞれの時代や文化に生きる、多様な人びとが紡ぐ交感をめぐる思索。それらを多角的に検討し、「人間にとっての自然の心的な価値」とは何か、人間が物質的にも非物質的にも自然とかかわりながら――「関係」をもちながら――これからも生きてゆくためには何が必要なのかを問う（野田二〇一七：2～5）。交感論のこうした試みはまた、「人間」とは何かを問うことにもつながっている。なぜなら、自然が、そして自然

写真3　野田研一編著『〈交感〉自然・環境に呼応する心』

名、チャールズ・ドジソン。リアと同時代に活躍した英国の作家。数学教師でもあった。代表作は『不思議の国のアリス』。リアの作品の大部分が韻文であったのにたいし、キャロルの作品には韻文と散文の両方がふくまれているものも多い。シューエルは、『不思議の国のアリス』においては、「ノンセンス」の実践を韻文が担い、散文がその理論をあきらかにしているという興味ぶかい指摘をしている（49）。

「近代」をめぐる交感論の議論とシューエルのノンセンス論が交叉する地点

シューエル（二〇一二）の訳者である高山による訳注（350～351）はとくに示唆にとむ。「make-believe 重要な概念。子供のいわゆる『……ごっこ』がこれだが、字義通りには『偽って（いつわ）そのふりをする』ということで、そうでないことを知ってい

と人間の関係が、どのようにとらえられ、表現され、受容されているかを問うことはすなわち、そのようにとらえ、表現し、受容する者が〈だれか〉を問うことでもあるからだ。むろん、そうした問いはまた、問いを発するわたしたちひとりひとりの自然観や人間観をも浮き彫りにし、ときにはそれをはげしく揺さぶり、変容をもたらす契機ともなるだろう。

　幾重にも折り重なった問いのむこうで、わたしたちは「他者」としての自然とむきあうことができるだろうか。わたしたちの〈心〉に、自然はどううつるのだろうか。

〈引用・参考文献〉

(1) 交感の定義については山田（二〇一四）も参照。その用法の多様さについては野田（二〇一七：4―5）を参照。
(2) 伊藤（一九九六：256―257）、野田（二〇〇七：19―22）を参照。
(3) バルトルシャイティス（一九九一）、鹿島（二〇〇一）を参照。
(4) 「逆擬人法」については、矢野（二〇〇八）、野田（二〇一六）、山田（二〇一八）も参照。
(5) 野田（二〇一六、二〇一七）、山田（二〇一八）を参照。
(6) 三浦（二〇〇一）を参照。
(7) ウィラースレフ（二〇一八）を参照。
(8) モラン（二〇〇〇）を参照。
(9) シューエル（二〇一二）を参照。
(10) 坂部（二〇〇七b、二〇〇八）を参照。
(11) 坂部による〈かたり〉および「主体の二重化」をめぐる議論と交感論との親和性については、山田（二〇一八）を参照。
(12) ウィラースレフと坂部を引用しながら「憑依」における「二重性」について論じている石井（二〇一三）も参照。
(13) 坂部の〈かたり〉をめぐる思索やロマン・ヤコブソンのコミュニケーション論を援用しつつ石牟礼道子の文学における「反復」を分析し、〈変身〉と交感のつながりについて考察した山田（二〇一七）も参照されたい。

ながらそのままだまされているふりをするこの心性は、もろもろの原始宗教論、遊び＝演技＝仮面論の中でクローズアップされた」という指摘は、本稿第3節で論じた〈変身〉の問題系と直結する（強調は引用者）。また、「representation」について、「シューエルはこれを『照応』（correspondence）とほぼ同意に用いている」と解釈し、「遊び」の議論と接続させていることも見逃せない。

「近代」
「近代」と交感の問題を考えるうえで、第1節で見た「ロマン主義的交感」に「近代への抵抗の言説」という側面があるとの指摘や（野田二〇一七：10）、言語人類学およびコミュニケーション論の観点から交感のメカニズムを分析する小山（二〇一〇：187）が、交感論および環境文学を「近代への懐疑によって特徴づけられた」学問や運動と「系譜論的に結びつけて思考されるべきもの」と位置づけていることも示唆にとむ。

（14）野田（二〇〇三：40、二〇一七：10—18）では、「照応」の思想については言及されている。

（15）フーコー（一九七四）、ボアズ（一九九〇）、バーマン（二〇一九）、坂部（二〇〇七a）などにもくわしい。

赤坂憲雄『性食考』岩波書店　二〇一七年

浅井優一「Mana（交感）、儀礼、魔法のフォーミュラ　現代エコクリティシズムの所在／彼岸」野田研一編著『〈交感〉自然・環境に呼応する心』ミネルヴァ書房　二〇一七年　203—221ページ

石井美保「パースペクティヴの戯れ　憑依、ミメシス、身体」菅原和孝編『身体化の人類学　認知・記憶・言語・他者』世界思想社　二〇一三年　375—396ページ

板橋作美「動物がもたらす禍福　占い、呪い、祟り、憑き物」中村生雄・三浦佑之編『人と動物の日本史4　信仰のなかの動物たち』吉川弘文館　二〇〇九年　159—181ページ

伊藤博明『神々の再生　ルネサンスの神秘思想』東京書籍　一九九六年

今福龍太「新しい宮沢賢治　第二回　模倣（ミメーシス）の悦び」『新潮』第114巻　第12号　新潮社　二〇一七年　185—204ページ

今村仁司『交易する人間（ホモ・コムニカンス）　贈与と交換の人間学』講談社　二〇〇〇年

ウィラースレフ、R『ソウル・ハンターズ　シベリア・ユカギールのアニミズムの人類学』奥野克巳・近藤祉秋・古川不可知訳　亜紀書房　二〇一八［二〇〇七］年

奥野克巳「人はトリを食べ、トリは動物を助ける　ボルネオ島プナンの〈交感〉の民族誌のための雑記」野田研一編著『〈交感〉自然・環境に呼応する心』ミネルヴァ書房　二〇一七年　247—270ページ

鹿島茂『人獣戯画の美術史』ポーラ文化研究所　二〇〇一年

喜納育江「『場所』との交感　崎山多美と『シマ』の想像力」野田研一編著『〈交感〉自然・環境に呼応する心』ミネルヴァ書房　二〇一七年　59—81ページ

小山亘「断片—交感　瓦礫の思想と記号の体制」『水声通信』第33号　水声社　二〇一〇年　178—187ページ

坂部恵「『コスモス化』と人『間』の諸相」『坂部恵集3』岩波書店　二〇〇七a［一九七三］年　139—166ページ

坂部恵「かたりとしじま　ポイエーシス論への一視角」『坂部恵集4』岩波書店　二〇〇七b［一九八五］年　169—197ページ

坂部恵『かたり　物語の文法』筑摩書房　二〇〇八［一九九〇］年

シューエル、E『ノンセンスの領域』高山宏訳　白水社　二〇一二［一九五二］年

シューエル、E『オルフェウスの声　詩とナチュラル・ヒストリー』高山宏訳　白水社　二〇一四［一九六〇］年

トマス、K『人間と自然界　近代イギリスにおける自然観の変遷』山内昶訳　法政大学出版局　一九八九［一九八

三〕年
ニコルソン、M．H『円環の破壊　17世紀英詩と〈新科学〉』小黒和子訳　みすず書房　一九九九〔一九六〇、一九五〇〕年
野田研一『交感と表象　ネイチャーライティングとは何か』松柏社　二〇〇三年
野田研一『自然を感じるこころ　ネイチャーライティング入門』筑摩書房　二〇〇七年
野田研一『失われるのは、ぼくらのほうだ　自然・沈黙・他者』水声社　二〇一六年
野田研一「交感と反交感『自然—人間の関係学』のために」野田研一編著『〈交感〉自然・環境に呼応する心』ミネルヴァ書房　二〇一七年　1—34ページ
野田研一「大自然の歳時記　石牟礼道子の他者論的転回」『現代思想』第46巻　第7号　青土社　二〇一八年　107—119ページ
バーマン、M『デカルトからベイトソンへ　世界の再魔術化』柴田元幸訳　文藝春秋　二〇一九〔一九八一〕年
バルトルシャイティス、J「動物観相学」『アベラシオン　形態の伝説をめぐる四つのエッセー』種村季弘・巖谷國士訳　国書刊行会　一九九一〔一九八三　一九五七〕年　11—88ページ
フーコー、M『言葉と物　人文科学の考古学』渡辺一民・佐々木明訳　新潮社　一九七四〔一九六六〕年
北條勝貴「未知なる囁きへの欲求　鴉鳴占卜にみる交感の諸相とアジア的繋がり」野田研一編著『〈交感〉自然・環境に呼応する心』ミネルヴァ書房　二〇一七年　271—312ページ
ボアズ、G「マクロコスモスとミクロコスモス」村上陽一郎訳　ウィーナー P．P．編・荒川幾男ほか（日本語版編集委員）『西洋思想大事典4』平凡社　一九九〇〔一九七三〕年　334—339ページ
三浦雅士「舞踊の身体のための素描」『批評という鬱』岩波書店　二〇〇一年　65—108ページ
モラン、E『方法3．認識の認識』大津真作訳　法政大学出版局　二〇〇〇〔一九八六〕年
山里勝己「野生と文学」『水声通信』第33号　水声社　二〇一〇年　199—204ページ
山田悠介「交感」小谷一明ほか編『文学から環境を考える　エコクリティシズムガイドブック』勉誠出版　二〇一四年　281—282ページ
山田悠介「反復から〈交感〉へ　石牟礼道子の言語世界」野田研一編著『〈交感〉自然・環境に呼応する心』ミネルヴァ書房　二〇一七年　175—201ページ
山田悠介『反復のレトリック　梨木香歩と石牟礼道子と』水声社　二〇一八年
矢野智司『動物絵本をめぐる冒険　動物—人間学のレッスン』勁草書房　二〇〇二年
矢野智司『意味が躍動する生とは何か　遊ぶ子どもの人間学』世織書房　二〇〇六年
矢野智司『贈与と交換の教育学　漱石、賢治と純粋贈与のレッスン』東京大学出版会　二〇〇八年

矢野智司「交感と心象スケッチ　脱人間化と逆擬人法」野田研一編著『〈交感〉自然・環境に呼応する心』ミネルヴァ書房　二〇一七年　133―153ページ
結城正美「風景のおとずれ　交感とサウンドスケープ」『水声通信』第24号　水声社　二〇〇八年　94―100ページ

山田悠介（やまだ・ゆうすけ）

小学生のころ、映画館でスタジオジブリの『平成狸合戦ぽんぽこ』を観て「自然」や「環境問題」に興味をもつ。大学の学部では日本語学や認知言語学など言語学系の分野について学んでいたが、文学を通して自然や環境をめぐる問題にアプローチできる環境文学研究の存在を知り方向転換。大学院に入学してからは、レトリック論やコミュニケーション論の観点もとり入れながら、おもに現代の日本の環境文学を研究している。現在、大東文化大学文学部日本文学科講師。

＊　＊　＊

■わたしの研究に衝撃をあたえた一冊『自然を感じるこころ　ネイチャーライティング入門』

「環境文学」というジャンルが存在することを知るきっかけとなった一冊。とりあげられている作品やそれらを読み解く視点のおもしろさにぐいぐいとひきこまれた。それまで、環境問題はいわゆる理系の学問があつかうものというイメージをもっていたが、人文科学や社会科学の立場から自然観（＝自然をめぐる価値観）について研究することもまた環境問題にとり組むうえで必要不可欠なのだ、という指摘に目を見開かれる思いがした。

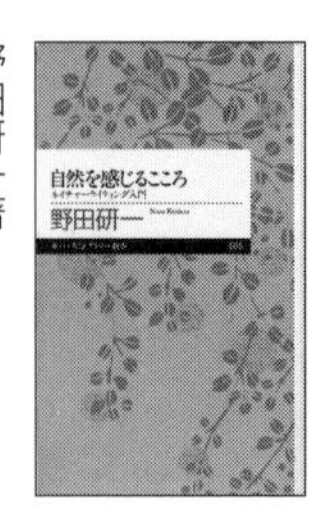

野田研一著
筑摩書房
二〇〇七年

被爆体験の継承のかたち
カズオ・イシグロ『わたしを離さないで』を手がかりに

――中川僚子

1　他人の記憶を思いだす

まず、つぎの引用のことばを読んでほしい。

「わたしは気づいたのです。この人が望んでいたのは、ヘイルシャムについてたんに話を聞くことじゃなくて、ヘイルシャムを『思いだす』こと――自分自身の子ども時代のようにして思いだすこと――だと。（中略）わたしにこまごまとした細部まで語らせて、自分の胸にふかく染みこむようにしたのです[1]」

「いままでの平和学習が、なんか全然自分にとって効果がなかったんだなあみたいな。効果がなかったというか、全然根本的なところを見てなかったなという。たとえば本の題名だけ知らされているような感じ。本の題名とうしろに書いてあるあらすじを聞いているような感じですかね、平和学習は[2]」

最初のことばは、二〇一七年度ノーベル文学賞を受賞したイギリスの作家カズオ・イシグロの小説『わたしを離さないで』（*Never Let Me Go*）の一節、もうひとつは「次世代と描く原爆の絵」の制作プロジェクトに参加した広島の高校生小野さんのことばである。文学テクストという虚構の世界のことばと、実体験について語られた、いわば実世界のことば——どちらも「他者の記憶を思いだす」という営みにかかわっている。時空を隔てて、だれかの経験を、まるでみずからが体験したかのようにリアルに感じる、それを可能にするのが文学というフィールドだ。環境文学という領域は、人間と環境（自然環境および社会的環境）との関係にとくに焦点を合わせる。人間の生命が、人間がつくったモノによって損壊された惨劇の歴史をくり返さないための「ことば」の模索をすることが研究の対象となりうるのだ。

ふたつのことばは、いずれも、わたし自身が文学研究を通して理解をふかめたいと願う問題——他人におきた出来事（他人（ひと）ごと）をどう自分のこととして引き受け、だれに伝えるか、とくに被爆体験をどう引き受け、継承するかという問題——にふかくかかわる。現実と虚構のあいだを往還する文学というフィールドにおいて、ひとつの作品をめぐって、作品と読者はどうかかわり、そこに研究者はどうかかわりうるのか。

まず、ふたつめの高校生のことばからはじめよう。二〇〇七年度から広島市立基町高等学校（偶然にもわたしの出身高校であるが）では、「原爆の絵」制作というプロジェクトが継続的におこなわれている（写真1）。創造表現コースに在籍する高校生有志が、被爆者から直接聞いた体験を絵に描き、当時の状況

「次世代と描く原爆の絵」の制作プロジェクト
広島平和記念資料館の依頼で二〇〇七年にはじまったプロジェクト。広島の高校生が被爆者の見た光景を絵に描き、伝える取り組み。二〇一九年までに約一四〇枚の作品が完成したという。作品は広島平和記念資料館に収蔵されている。

写真1　「次世代と描く原爆の絵」（広島市立基町高等学校）

を伝える「原爆の絵」を制作する。被爆者と打ち合わせを重ね、試行錯誤をくり返しながら、被爆体験を継承する共同作業をしているのだ。「いままでの平和学習は自分にとって効果がなかった」と語った小野美晴さんは、被爆体験の証言活動をしている八一歳の川崎宏明さんの記憶の一場面を再現した。川崎さんは原爆投下直後に市内中心部の火の手を逃れ、郊外に徒歩でむかう人びとの姿を見た。七歳だった川崎さんは祖母に手を引かれて家族とともに逃げたが、河原に倒れて助けをもとめる人たちに何をすることもできず、心のなかで謝りながら、ただ歩きつづけたという。その河原の光景である。

絵の完成が近づき、小野さんは家族に絵を見せた。ところが母親には「絵に心を打たれなかった」といわれ、兄にはあれはなんの絵なんだ？と尋ねられた。美術部の顧問からは、歩いている人びとは行進しているみたいだといわれたという。伝えようとしたことが何ひとつ伝わらない。苦しんだすえに手なおしをはじめ、こんどはキャンバスに描いたひとりひとりの背景にある物語を考えた。背中にひどい火傷を負って死を目前にしつつ、恋人にもらった白いハンカチをにぎりしめ、再会を願う人。赤茶色に焼けただれた親の遺体を前に呆然とする少年と幼い妹。小野さんが思いをこめた被爆者それぞれの物語は、絵を見る者にはおそらくうかがいしることはできない。しかし、この絵を通して、原爆によって断ち切られた無数の命、原爆によって潰えた夢の痛みは伝わる。ことなる時代に生きる若者が、他者の記憶をみずからの記憶の物語として描きえたのだ。

「すごく悩んだ時期があったけど、でもそのぶん、考える機会というのが、これがなければ、たぶん、わたしはなかったと思うので。考えて、考えて、考えていって、最後に自分の答えじゃないですけど、そういうのもスパッと見つかったというのもある」と、番組のなかで、制作をふり返って小野さんは晴れ晴れとした笑顔を見せた。

被爆の経験を過去の遠い出来事として表層で片づけるのではなく、自分たちと同じように、それぞれちがう物語をもっていたひとりひとりにおきた出来事としてキャンバスにくり返し絵筆を走らせた。過去の記憶に命をあたえたのは、対話であっただろう。被爆者の過去に近づくという意味では、被爆者との対話であるが、絵画に描きだされてゆく光景との対話でもある。対話とは思索そのものだ。「考えて、考えて、考えて」という思索の結果、細部にいたるまで、見る人との対話を喚起する絵が完成した。心に強く訴える絵の完成は、被爆者の記憶の光景と対話をつづけた作者が、他者の記憶をみずからのものとしてふかく内面化＝物語化したからこそ可能となった。

2　「ゴミ」の光景は美しいか

現実世界と虚構世界との絶えざる往復運動は、じつは文学のフィールドでもある。カズオ・イシグロの文学の底流には、一九四五年八月九日に長崎に投下された原爆（写真2・3）という現実が通奏低音のように流れている。長崎でも日本でもなく、一九九〇年代後半のイギリスを舞台とした『わたしを離さないで』を例にして考えてみたい。

写真2　焼け野原となった長崎市内。米軍撮影（写真提供：朝日新聞社）

写真3　長崎市銭座町付近で、瓦礫のあいだの道路を歩く赤ん坊を背負った女性。松本栄一撮影（写真提供：朝日新聞社）

長編六作目になる『わたしを離さないで』は、一見すると、原爆という歴史的現実とは無関係に見えるが、核の問題を描こうとするイシグロの思索の深まりから生まれた作品だとわたしは考えている。かんたんにあらすじを紹介しよう。主要登場人物は、キャシー、ルース、トミーという三人の若者。語り手はキャシーだ。三人は外界から隔絶されたヘイルシャムという施設で成長した。キャシーたちはじつはクローン人間であり、臓器提供者となるため養育されている。子どもたちは人間に臓器提供して死んでいくという運命を当然のこととして受け入れている。三人は成長し、やがて「提供」がはじまり、キャシーは介護士としてトミーとルースを看とっていく。やがてキャシー自身にも「提供」開始の時期が近づいてくる。

一見するとクローン技術と生命倫理をめぐる物語のようだが、『わたしを離さないで』と原爆をむすびつけるものはふたつある。ひとつは、当初は若者たちが核兵器や原子力事故に遭遇するという設定が考えられていたということだ。だが、なかなかうまく書きすすめることができず、構想から一〇年目、三度目の執筆に着手する際に「核兵器の方向を完全にすてる決意」をした。かわりに、当時世界中の話題になっていたクローン技術を設定にとりこむことに決めた。イシグロは、この物語設定の変更によって、「自分がいいたいテーマがきちんと伝えられる話が書ける」と気づいたと語っている[3]。

もうひとつは五歳の時、海洋学者であった父親の仕事のために家族でイギリスに移り住むまでイシグロが長崎に生まれ育ったという事実である。母方の祖父を原爆で亡くし、母親は被爆者であった。自分にとって日本といえば長崎のことを意味したというイシグロにとって、原爆はかくれたテーマでありつづけているといってよい。

核の問題を描こうとするイシグロ

イシグロ自身は、自分の作品が「原爆小説」として読まれることを望んでいないとかつて言明している。また、一九八六年に『ガーディアン』紙に書いた短い随筆では、「思いだす」と「忘れる」というキーワードを使って、核の恐怖をあおる「凡庸な」文学を批判している。そのような文学が蔓延することは、核の脅威が一時期のブームとして消費されることを意味し、ブームが去れば、現実の脅威まですぎ去ったかのように忘却することになる、と自戒をふくめて警鐘を鳴らしている。Kazuo Ishiguro, “Bomb Culture” *The Guardian*, Aug.8, 1983. 参照。

イシグロの小説にくり返しゴミ、廃物のモチーフが登場するのは、イシグロの間接的被爆体験ゆえではないかとわたしは考えている。戦後の長崎に建てられたアパートと接する悪臭のただよう湿地帯（『遠い山なみの光』）、戦時中の爆撃により穴が開いたままのわたり廊下（『浮世の画家』）、見しらぬ町のホテルの駐車場につぜんと現れる、いまは錆だらけのかつての自家用車（『充たされざる者』）、日中戦争のさなかに爆撃を受け、瓦礫となった街にそびえる二本の焼却炉（『わたしたちが孤児だったころ』）。長編第三作『日の名残り』は廃物を描いていないという意味で例外的ではあるが、イギリス貴族の館につとめ、間接的にファシズムに関与した過去をふり返る執事の物語なので作品全体が戦争をテーマとしているといえるだろう。このうちにあって、『わたしを離さないで』は人間がつくりだした悲劇の犠牲者への鎮魂がとりわけ強く感じられる作品だ。

『わたしを離さないで』には、大事な場面にゴミ、廃物が二回登場する。ひとつは、三人のうち、最初に亡くなるルースの望みにこたえて、クローンのあいだで噂になっている船を見に出かける場面である。トミーも誘い、弱りきったルースをふたりで支えながら、ようやく目的地にたどりついて見えたのは、浜辺に座礁したまま放置され、朽ちかけた廃船で、その光景を見つめながらルースは最後の願いをふたりに伝える。もうひとつの場面は小説の幕ぎれ近くにある。恋人のトミーを失ったあと、キャシーはあてもなく車を走らせた先で、遠くまで地平線が見わたせる畑の光景に遭遇する。畑の手前には有刺鉄線が張られた柵があり、さまざまなゴミが引っかかっている。

> それは浜辺で見る漂着物のようでした。風がすこしずつを何マイルも何マイルも運ん

『遠い山なみの光』
イギリスに暮らすエツコは、娘の自死がもたらした衝撃のなかで、戦後の長崎ですごした日々を回想する。とりわけ、自分の恋愛のために、いやがる娘をアメリカに連れていこうとしたサチコのことが思いだされる。回想のことばから、イギリス人との再婚に娘をまきぞえにした、エツコ自身の自責の念がしだいにあきらかになる。

『浮世の画家』
太平洋戦争中、画家オノ・マスジは国威発揚の作品でもてはやされたが、戦後、価値観の急転換に対応することができない。娘の縁談を契機に、オノは、みずからの過去の行動を思いだし、屈折した自己正当化を試みる。

『充たされざる者』
ライダーは著名なピアニスト。あるヨーロッパの都市

で、最後にこの木々と二本の鉄線に打ちつけたにちがいありません。（中略）わたしはゴミのことを考えていました。枝に引っかかりはためくプラスチック、柵沿いにとらえられた奇妙なものたちが海岸線をなしています。なかば目をとじて想像しました。この場所にはわたしが子どものときから失ってきた一切が打ちあげられている、そしてわたしはいまここでその前に立っている、そしてもし待ちつづけるならば、やがて畑の向こうの地平線に小さな姿が現われるのだと。[4]

この場面には、悲劇のあとにかすかな生の痕跡を見つめる残存者（サバイバー）の視線がある。原爆投下後の、瓦礫と焼けこげた屍の街となった広島や長崎の光景と二重写しになるように感じられるのだ。沈黙のうちに目をとじるキャシーの姿は、原爆投下による大量殺戮という二〇世紀の悲劇に哀悼を捧げているように思える。亡くなったトミーがもどってくるつかのまの夢想を自分に許したあと、キャシーは決められた運命を生きつづけるために、再び歩きはじめる（写真4・5）。

写真4 *Never Let Me Go*

写真5 『わたしを離さないで』（ブルーレイ）
20世紀フォックス ホームエンターテイメント ジャパン

の演奏会「木曜の夕べ」に招かれるが、時空の軸がゆがんだように、不思議な現象が次つぎにおこる。見知らぬ街の、見知らぬ人びとが、自分の妻、息子、妻の父親へと変貌する。街の再生がかかったイベントは成功するのか。

『わたしたちが孤児だったころ』
上海の租界に生まれ育ったバンクスは、両親の失踪のため、イギリスにわたって教育を受ける。やがて彼は著名な私立探偵として、上海にもどり、両親の捜索をはじめる。時は日中戦争のさなか。前線の民家に両親がいるとの情報を得て、バンクスは瓦礫の街をつきすすむ。スラップスティックな悲喜劇。

『日の名残り』
貴族の館ダーリントンホールにつとめる執事スティーブンスは、あたらしい主人一枚の絵を想像してみてほしい。画面を横切る二本の有刺鉄線でできた柵、そこにはレジ袋やそのほかのゴミが風雨にさらされてぼろぼろになりながらからまっている。柵のむこうは一面の畑。その先に広がる空。目を細めると畑は消え、この場所が海岸で、ゴミは海からの漂着物だと思うこともできる。イギリスに行ったことがない読者であっても、この絵を想像することはむずかしくない。『わたしを離さないで』の読者であれば、この一節にいたるまでのキャシー、トミー、ルースのそれぞれの物語を絵に読みこむだろう。いっぽうに三人の恋愛と嫉妬そして和解のドラマがあり、他方に病気や老いを人間が克服するための手段として、クローン人間を使い捨てにする人間たちの本音と欺瞞がある。

3　犬の糞臭、月光に照らされる白骨の塵

第一作以降イシグロ作品に反復されてきた廃棄されるモノのイメージは、『わたしを離さないで』にいたって、かくれたモチーフとしてひそかに一部の読者に送られるのではなく、前景化された。人間に臓器提供をするために生まれ、提供が終われば最期をむかえるクローン人間という格好の素材を着想し、長編六作を描ききったあと、なおゴミのモチーフは展開される余地があるのだろうか。

その後、イシグロは短篇集『夜想曲集』と長編『忘れられた巨人』（写真６）を発表している。作品

写真６　*The Buried Giant*

から休暇をもらい、かつてほのかな思いを寄せた女性をたずねるドライヴ旅行にでかける。献身的に仕えた元の主人は、戦前、ナチスの宥和政策に加担するという大きな政治的ミスを犯した。自分の人生に意味はあったのか、スティーブンスは旅のあいだ、自問を続ける。

『夜想曲集』
副題は「音楽と夕暮れをめぐる五つの物語」。イシグロ初の連作短編集。五つの短編は、再起をはかるベテラン歌手の離婚劇、才能はあるが売れないサクソフォン奏者の勝負をかけた整形手術をめぐる話など、いずれも音楽をモチーフとする。

『忘れられた巨人』
中世のブリテン島を舞台とし、アーサー王伝説を下敷きとした物語。忘却をまねく息を吐く竜のせいで日々記憶が薄れゆく老夫婦は、

ごとに発想を一新させるイシグロは、この二作で廃棄物の表象にかんしてもあらたな展開を見せている。ひとつは、ゴミにこだわる自分を嘲笑するかのようなコメディへの展開であり、もうひとつは、第二次世界大戦後の枠組みをこえて、さらに大きな歴史的文脈におく実験的展開である。

『夜想曲集』に収められた「降っても晴れても」は、学生時代の友人夫婦のマンションに居候するさえない四八歳の語学教師レイが、ふたりの関係破綻の危機に奔走する物語である。留守番している時にたまたま自分の悪口を書いたエミリーの日記をのぞき見たレイは、怒りのあまり発作的にそのページをにぎりつぶす。一瞬ののち正気にもどるが、犠牲となった数ページはもうもとにはもどらない。出張中のチャーリーの電話口の助言にしたがい、レイは近所のラブラドール犬が留守中に侵入して室内をめちゃめちゃに荒らしたと見せかけようと工作をはじめる。電気スタンドと花びんを床に寝かせ、ドライフラワーをまわりに配置する。大型犬が「蹴飛ばした」かのようにゴミ箱を横倒しにする。テーブルの上の砂糖入れも倒して中身を床にこぼす。生活空間をいわば廃墟化する試みだ。

人工的につくりだした廃墟に信憑性をあたえるために、レイはさらなるチャールズの指示により、ラブラドール犬の糞臭を台所でつくりだすという、荒唐無稽な暴挙に打ってでる。廃棄、廃物のイメージを、あらたにコメディに投げ入れて攪拌しようというのだ。ここには作家的自意識が露出し、作品内で廃物を表象することがいっそう困難になっているように思える。みずからがつくりだした「廃墟」を見やって、レイは「どうみてもつくりもの」で「美術の展覧会」にしか見えないと語る。レイの自嘲には作家イシグロの自画像が重なる[5]。

遠くに暮らしているはずのひとり息子に会うことを決意して旅に出る。とちゅう幾度も危険にあいながらも、ふたりはたがいに支えあって旅を続け、しだいに目的地に近づくのだが……。

中世を舞台にした『忘れられた巨人』におけるゴミの表象は塵で、よほど注意しなければ読みすごしてしまいそうだ。老夫婦アクセルとベアトリスが、大むかしに掘られた修道院から続く暗いトンネルを、少年エドウィンやとちゅうで合流した騎士ガウェインとともに逃走する。と、不意に大きな地下空間に出る。ふたつの広間があり、その境目のちいさなすきまからまぶしい月の光が差しこみ、つぎの間の床を照らす。床は瓦礫でおおわれているように見えるが、じつは瓦礫と思ったのはひしめく人骨で、ここはサクソン人とブリトン人のはげしい戦いの痕跡なのだ。後方からは追っ手がせまり、前方からは獣がせまる。身を守るために騎士ガウェインがふたつの広間を隔てる鉄の落とし格子のロープを剣で断ち切ると、鉄格子は大きな振動とともに落ち、月光のなかにもうもうと舞いあがる塵が照らしだされる。床を埋めつくす人骨から出たものだ。塵埃は、もはやサクソン人のものか、ブリトン人のものか判別不能だ。

「降っても晴れても」、『忘れられた巨人』において、ゴミのモチーフはさらに意識的に作中に使われるようになった。一見すると、これらふたつの例は「他人の記憶を思いだす」行為とはかけはなれているように見えるかもしれないが、そうではない。登場人物たちの生の経験を自分自身におきたことのように細部の手触りまで大事にして読むと、かつて「自分が生まれたころに長崎に暮らしていた人びとの人生を想像しようとすればするほど、原爆がこれらの人びとの上に重い影を落としたことを考えざるを得ない」と語ったイシグロもまた「他人の記憶を思いだす」営為をくり返していることがわかるのだ。

「原爆の絵」を描いた小野さんは、試行錯誤のはてに、被爆者の記憶の物語化にたどりつくことができた。キャンバスに描かれたひとりひとりの物語は彼女がつくった「虚構」であるが、できあがった絵には切迫した「現実」感――「スパッと見つかった」何か、と小野さんは表現する――が感じられる。『わたしを離さないで』におけるゴミの表象は、高校生の「原爆の絵」制作とノーベル賞作家カズオ・イシグロによる小説世界の構築がけっして遠く離れているものではないことを教えてくれる。現実というテクスト、フィクション（虚構）というテクスト、いずれも物語を読みとっていくフィールドという点では共通しているのだ。そして、そうしたテクストを前にして、物語化のプロセスをつぶさに観察するのが文学研究者の重要な仕事のひとつなのである。

※本稿の一部は、拙論（「廃物を見つめるカズオ・イシグロ」、「Kazuo Ishiguroと廃棄のイメージ」）にもとづいている。なお文中の日本語訳はすべて拙訳であるが、一部既訳を参考にさせていただいた。

〈引用・参考文献・映像・ウェブサイト〉

（1）Ishiguro, Kazuo, *Never Let Me Go*, London: Faber & Faber, 2005, p. 5.
（2）『ETV特集　あの夏を描く　高校生たちのヒロシマ』NHK　二〇一九年八月三日放送
（3）カズオ・イシグロ　大野和基「インタビュー　カズオ・イシグロ『わたしを離さないで』そして村上春樹のこと」『文學界』8月号　文藝春秋　二〇〇六年　130―146ページ
（4）Ishiguro, Kazuo, *Never Let Me Go*, p. 282.
（5）Ishiguro, Kazuo, "Come Rain or Come Shine", *Nocturnes: Five Stories of Music and Nightfall*, London: Faber and Faber, 2009, pp.67-68.

麻生えりか「Kazuo Ishiguroのコズモポリタニズム　*A Pale View of Hills*と*Never Let Me Go*における被爆の風景」『青山学院大学文学部紀要』第52巻　二〇一一年　57―76ページ
カズオ・イシグロ　大野和基「インタビュー　カズオ・イシグロ『わたしを離さないで』そして村上春樹のこと」『文學界』8月号　二〇〇六年　130―146ページ
中川僚子「廃物を見つめるカズオ・イシグロ」『水声通信』二〇〇八年（『カズオ・イシグロの世界』水声社　二〇一七年、および中川僚子『日常の相貌』水声社　二〇一一年に再録）

中川僚子「Kazuo Ishiguro と廃棄のイメージ　『やさしいだけの鎮魂歌』ではなく」日本英文学会第91回大会招待発表二〇一九年五月二六日

中川僚子『日常の相貌　イギリス小説を読む』水声社　二〇一一年

平井杏子『カズオ・イシグロ　境界のない世界』水声社　二〇一一年

平井杏子『カズオ・イシグロの長崎』長崎文献社　二〇一八年

Ishiguro, Kazuo, "Bomb Culture". *The Guardian*, Aug. 8, 1983.

Ishiguro, Kazuo, Interview with Suzie Mackenzie. "Between Two Worlds". *The Guardian* March 25, 2000: 10-11, 13-14, 17.

Ishiguro, Kazuo, *Nocturnes: Five Stories of Music and Nightfall*, London: Faber and Faber, 2009.

Ishiguro, Kazuo, *The Buried Giant*, New York: Alfred A. Knopf, 2015.

Ishiguro, Kazuo, *My Twentieth Century Evening and Other Small Breakthroughs*, London: Faber and Faber, 2017.

『ＥＴＶ特集　あの夏を描く　高校生たちのヒロシマ』ＮＨＫ　二〇一九年八月三日放送

"Kazuo Ishiguro visited the Auschwitz-Birkenau Memorial." International Auschwitz Committee. Oct. 6, 2017.〈https://www.auschwitz.info/en/welcome/announcements/artikel/lesen/1052.html〉二〇一九年三月一〇日閲覧

「次世代と描く原爆の絵」広島市立基町高等学校〈https://www.sozohyogen.jp/abombdrawings〉二〇一九年一〇月二二日閲覧

「長崎原爆資料館　収蔵品検索」〈http://city-nagasaki-a-bomb-museum-db.jp/search-photo.html〉二〇一九年三月七日閲覧

中川僚子（なかがわ・ともこ）

イギリス文学研究者。聖心女子大学教授。研究の原点のひとつは、母親が広島の被爆者であったことですが、戦争体験をめぐるフィールドワークとして文学研究を意識しはじめたのは二〇〇八年です。二〇一七年の研修年には、イギリスと日本で、多くの人と戦争と平和を語りあいました。戦争を語ることは困難ですが、その困難さをとおしてこそ人に伝わる平和への思いがあります。長年の友人ふたりの父親が、ひとりはアウシュヴィッツを生きのび、ひとりは真珠湾攻撃に加わったとは、そのおりにはじめて聞いた話です。

＊　＊　＊

■わたしの研究に衝撃をあたえた一冊『夜と霧』

半世紀以上読み継がれてきた、心理学者によるナチスの強制収容所の体験記録。戦時の強制収容所という非日常において、どのような日常が形成されていたかが克明に記録されています。極限状態におかれた時、人は何によって生きつづけるのか、何によって生かされるのか、人間存在の根源を考える手びきとなる一書です。わたしは霜山徳爾訳で読んできましたが、若い人には池田香代子による新訳版でぜひ読んでほしいと思います。

ヴィクトール・E・フランクル著
霜山徳爾訳
みすず書房
一九八五年（初版　一九五六年）

池田香代子訳
みすず書房
二〇〇二年

〈災害文学史〉の構築をめざして　〈環境文学〉論の道程

――小峯和明

はじめに

　二〇一一年三月一一日、突如、日本列島の東北部を中心におそった東日本大震災は、福島の原発破壊をともない、未曾有の被害をもたらした。放射能汚染などでいまだに地元に帰還できない人びとをはじめ、一朝一夕では片づかない現実の深刻な問題として、列島に生きる者にとってふかい傷や重荷となりつづけている。二〇世紀以降にかぎっても、関東大震災をはじめ、阪神淡路大震災以下、くり返しこの列島は災害に見舞われてきた。地震や津波にとどまらず、集中豪雨や台風による被害も毎年必ずどこかでおきており、つねに「明日は我が身」状態の潜在的な畏怖をかかえて日々生きざるをえない状況が続いている。さらには、災害は天災にとどまらず、火災や戦災など人災もある。自然災害にかぎらず人為的な災害もすくなくない。人は災害とともに生きざるをえない宿命のようなものを負っており、日々の暮らしで忘れていたり、知らないふりをしているにすぎないのである。

　このようなあい次ぐ災害にたいして「文学研究は何ができるか」が問われる。という以上に、文学研究が真っ先に対象とすべき枢要の課題であるといわなければならない。すでに歴史学では、たとえば峰岸純夫『中世災害・戦乱の社会史』[1]、北原糸子編『日本災害史』[2]、藤木久志編『日本中世気象災害史年表稿』[3]のような成果があり、東日本大震災後の翌年には日本古代史から地震・津波・噴火と王権の相関をたどる保立道久『歴史のなかの大地動乱　奈良・平安の地震と天皇』[4]が刊行された。

かように「災害史」の領域化が進展し、研究も積み重ねられているのに反して、文学研究では、まとまったものに三田村雅子・河添房江編『天変地異と源氏物語』[5]などがあるが、あまりに『源氏物語』に特化した印象が強く、ほかに一部の学会誌などで試みがみられる程度で、反応はきわめて遅いといわざるをえない。

あるいは中国でも、李朝軍『宋代災害文学研究』[6]が出ており、災異奏、救災記、水災詩、旱災詩、蝗災詩、疾疫詩、火災詩、地震・風雹およびその他の災害詩、宋詞災害書写等々から分析されている。韓国でも東日本大震災にちなむ研究や災害文学にかんする提言なども出ていて、広範な研究体制づくりに発展させうる可能性が拓かれている。

いずれにしても、「災害史」に応じた「災害文学史」の領域の確立が急務であろう。先年来、筆者も追究している〈環境文学〉論の一環として、「災害文学史」の構築が当面する課題であると考える。「災害文学史」に際してまず指向されるべきは、古典と近代の連なりである。今日の文学研究の最大の陥穽がこの古典と近代文学との研究上の断絶にある。古典は古典、近代は近代、というたがいのテリトリーができてしまい、それが大学の学科編成や教員配置やカリキュラムをはじめ、学会組織にいたるまでかかわり、研究者のアイデンティティともなっているから、この溝を埋めることは容易ではない。〈環境文学〉論の提起の根幹のひとつに、このような古典と近代の分断に架橋しようとする企図がこめられている。古典と近代文学ももともとは連続しており、ひとつづきに連なりあっているはずのもので、研究する側が壁をつくり、分断を招いているにすぎない。〈環境文学〉の一環としての「災害文学史」を標榜するのも、そうした研究の現状をすこしでも打破し、改善することをもとめているからである。

仮に古典と近代双方にまたがる研究が個人的に遂行しえない場合でも、協同によって双方をつなぐ努力が必要であるし、稿者の一貫したテーマでもある東アジアの漢字漢文文化圏からもみていきたいと思う。ここではそうした方向性を指向する瀬踏みとして、おぼえ書き的に述べておこう。

1　災害文学史の対象と方法

〈災害文学〉の対象になるのは、地震、津波、洪水、台風、暴風、嵐、竜巻、豪雨、火山噴火、豪雪、雹、旱魃、猛暑、冷夏、生物異常繁殖、飢饉、火災、戦災等々、かなりの例が該当する。自然災害だけでなく人災もふくまれ、近代の公害もこれに該当する。天災と人災との区別は案外見分けがむずかしい場合もあり、双方が混交したり、かかわりあったりするケースがすくなくない。災害の多くは気象と密接し、戦災は戦争文学にもなる。これが時代、社会、地域、民族、国家におよぶから、それらの資料は膨大な数量にのぼるであろう。これらの資料をデータベース化していつでも検索できるようなシステムづくりが望まれるし、その都度、テーマ別や時代別など別途に資料集としてまとめる方策も必要である。

そのいっぽうで時代ごとの文学ジャンルに対応する表現様式からの視座が欠かせない。〈災害文学〉としての表記文体、語彙語法、慣用表現、譬喩・隠喩・換喩などの修辞法〈レトリック〉、モチーフや話型をはじめ言語表現および背景や深層におよぶ思想、宗教信仰等々の面からの解析が不可欠である。こうした観点からの解読がないと、それらの資料はたんなる歴史史料になってしまい、歴史実体に還元されるにとどまるであろう。「災害史」と「災害文学史」の区分けとその必然性もそこにもとめられる。

さらには、文字資料やテクストにとどまらず、災害にかかわる口頭伝承や地域特有の伝説、儀礼、芸能なども対象になるし、絵巻や絵本、錦絵、瓦版類の絵画イメージも必須であり、近代は映像も対象になる。図像と言説を一体化させて俎上にのせなくてはならず、絵画史料論とは別途の〈絵画文学論〉がもとめられる（中国では、文学・図像学を一体化させる「文図学」が提起されている）。とくに災害史のみならず災害文学史には、絵画や造型、写真、映像などの視覚表象が欠かせないはずで、複合化したメディア研究の総体が問われることになるだろう。

最初に述べた古典と近代との断絶に関連していえば、近代はおのずとドキュメントやルポルタージュなどをふまえたノンフィクションの傾向が強くなり、近世文学でもその傾向がみられる。古代・中世ではまだそこまでジャンル化するにはいたらず、ごくおおまかな時代区分の必然性もそこにもとめられるが、日記文学や歴史叙述はおのずとそうしたノンフィクション的な面をもつであろう。それを歴史実体に還元せずに、あくまで言語表現によって構築されたひとつの世界像として構造的に読むことがもとめられるのである。ノンフィクションといっても、言説によって枠取られた虚構から自由ではありえず、一定の枠組みのもとに結構された文字テクストであり、フィクションとノンフィクション相互の読みとりが肝要であろう。私的にはさしあたって、歴史叙述論が古典と近代の溝を埋めうる手立てのモデルケースとなると考えるが、いまは今後の課題とするほかない。

2 災害文学の位相

人は災害をどうとらえ、どのように表現するのだろうか。まずは、災害に直接遭遇し被災した人びとの原体験が起点になる。被災の当事者の証言や体験記、語りや談話、日記、書簡、記録、メモをはじめ、現場のスケッチ、写真、映像などの視覚媒体資料もあり、近年はＳＮＳで生の映像がかんたんにだれでも発信でき、居ながらにして情報を共有できるようになってきている。これらが一次資料もしくは一次伝承となる。これについで、現代なら新聞やテレビなどの報道、ニュースがあり、現場から直接伝達できる場合がすくなくないが、近世末期から近代初期においては、瓦版、錦絵など、さらに時代をさかのぼれば、風聞、噂、街談巷説の類の口頭伝承が主体になり、現場からは距離が隔たってくる。二次的、二義的なかたちになってくるわけで、現場との距離の如何が資料のありかたに直結し、その意義を決定づけている。

ついで、時間の経過とともに原体験の再構成がなされる。当事者自身の筆録整理もあろうし、第三者の介在もすくなくないだろう。当事者からの聞きとり、聞書きやルポルタージュがあり、これらが二次的な段階といえる。そして、当事者／第三者を問わず、文章や口頭伝承による追体験がされるようになると、そこには必然的に「語り手」（実体の話者ばかりでなく、筆記者としての語り手）が介入し、文章の推敲や彫琢がなされ、追体験から擬似体験へ、ステージが飛躍していき、ひいては虚構が介在するようになる。読者や聞き手の受けをねらって、話を大げさにしたり、おもしろくするような仮構（加工）がなされる。実際にはないことでも、あったかのように語られることもあるだろうし、当事者がそのように思いこんだり、記憶の装置がそのように作動したりする場合もあるだろう。

つまり、意識の如何を問わず、そこにはある種の作為が介在することをさけられない。これが第三次の段階である。回想録の類も該当するから、当事者の談話や筆録であっても、時間差によってそのような作為が介入する可能性や必然性が高まるのである。あるいは何らかの物語のなかの場面やモチーフに使われることもあり、別途の記憶や連想をたぐる想起の手立てともなっていく。断片的なかたちでの再現もあるし、いっぽうでまとまった歴史叙述やドキュメンタリーとして提示される場合もある。フィクションとノンフィクションのはざまを行き来するようになる。災害を軸にした想像力のありかたとその言語表現の作動のありようが問われることになる。

したがって、ひとくちに「災害文学」といってもその内実はまことに多種多様であり、対象とするテクストや資料がそれらのどの段階やレベルにあるかの見極めや吟味が必要になるだろう。災害の問題は必ず事後の復興のありかたが現実的な課題になるから、〈災害文学〉は災害の悲惨さや深刻さをとらえるだけではなく、その災害からいかに立ちなおれるか、いかに復興するか、絶望から希望の灯火をいかにともすかに、力をそそがなくてはならない。つまり、〈災害文学〉は〈復興文学〉でもある。原発破壊による放射能汚染問題は世紀を越えるような難題であり、文学の力があらためて問われるであろう。

以下、具体例で検討すれば、たとえば東日本大震災で一躍注目された、六国史の掉尾である『日本三代実録』の貞観一一年（八六九）五月二六日条にみる東北をおそった貞観の大津波の記載（保立著書の訓読をもとにする）。

陸奥国の地、大いに震動す。流光、昼の如く隠映す。しばらく人民叫呼して、伏して起きることあたはず。あるいは屋仆れて圧死し、あるいは地裂けて埋殪す。（略）海口は哮吼し、その声、雷霆に似る。驚濤と涌潮と、泝洄し、漲長して、忽ちに城下に至る。海を去ること数十里、浩々としてその涯を弁ぜず。原野道路すべて滄溟となる。

云々とある。一篇の歴史史料にとどまらず、圧倒的な迫力で津波の脅威を伝える、迫真の描写力をもっている。先にあげた保立論では、三年まえにおきた、『伴大納言絵巻』などでも名高い応天門の変とむすびつけて王権と災害の課題に展開させるが、ここではその漢文体の表現力に着目したい。大地の振動にはじまり、流光の点滅に人びとの叫喚、家屋倒壊による圧死や大地が裂けて埋没、海の咆哮や津波がおそいかかり、原野道路が瞬時に一面埋没して海面になってしまうさまが描かれる。この文章を読み返すたびに、東日本大震災時の津波の映像がよみがえってくるほどの喚起力をもっているが、このような描写がいかにして可能になったのか、が問題である。

この文章で注意すべきは、これを書いた人物が津波の現場に居あわせた実景を描いているわけではないことだろう。おそらくここは、中国古典の災害描写をめぐる表現を集めた類書に依拠しているだろう。ひとえに漢籍や漢訳仏典の素養にもとづく漢文の表現力の賜

『日本三代実録』
平安時代前期（八五八～八八七）の清和・陽成・光孝三代を対象とする編年の漢文体の歴史書。六国史の最後。九〇一年成立、藤原時平、菅原道真らの編。

『伴大納言絵巻』
八六六年、応天門の変とされる、門炎上に端を発した政変で、時の大納言伴善男が罪をかぶり、配流される顛末を描いた絵巻。一二世紀末期に後白河院がつくらせたとされる傑作。出光美術館所蔵。詞書は正史『三代実録』とことなり、一三世紀の『宇治拾遺物語』と共通する説話に拠っている。子どもの喧嘩が発端となって放火の秘密が暴露され、政変がおきる画面展開が名高い。

応天門の変
八六六年、応天門が放火で炎上、数か月後に大納言伴善男父子が犯人とされ、流

物であり、すでに二次的な次元にしてはじめて可能になる表現である。机上の所産にほかならず、かなり高い視点から津波の惨状を俯瞰して描く、いわば〈神〉の視点を獲得している。時間も場所も現場から遠く離れた距離感覚がこのような表現をもたらした、といえよう。

似たようなことは、これも名高い一二一二年の『方丈記』にみる元暦二年（一一八五）七月の大地震の描写にもいえるだろう。

山は崩れて河を埋み、海は傾きて陸地をひたせり。土裂けて水涌き出で、巌崩れて谷にまろび入る。（略）地の動き、家のやぶるる音、雷にことならず。家の内に居れば、たちまちにひしげなんとす。走り出づれば、地割れ裂く。羽なければ空をも飛ぶべからず。

云々とあり、家の下敷きになった子どもの惨状や三か月におよぶ余震などにおよぶ。描写の基本は、山・河、海・陸、土・水、巌・谷、地・家という対句的対比で一貫しており、やはり漢文訓読体なるがゆえに可能になった形象といえる。筆者の鴨長明（蓮胤）が実際に体験した地震でもあったろうが、すでに三〇年ちかく時間が経過しており、これも直接の現場や当事者的感覚から隔たった筆致とみなせる。古典の災害文学は、漢文や漢文訓読体が適しているとはいえそうである。とくに『方丈記』の前半は五大災厄が中心で、仏教のいう宇宙・身体の五要素である地・水・火・風・空の五大にもとづく、一二世紀末期の京都周辺で見舞われた五つの災害（大火・辻風・遷都・飢饉・地震）が、彫琢された文体で描かれている。右の引用部分は、一三六一年の大地震を描いた『太平記』巻三六「大地震

刑に処された事件。大伴氏は没落。藤原良房・基経の摂関体制の布石となった政変。

『方丈記』
一二一二年、鴨長明（蓮胤）が述作。一般に随筆とされるが、仮構性の強い法語文学とみなすべき。「ゆく河の流れはたえずして」の著名な冒頭から人の世の無常を住居面からとらえ、火災、辻風、遷都、飢饉、地震などの災害を彫琢された漢文訓読体で精細に描く。さらに俗世を逃れて草庵に閑居する隠遁生活を謳歌するが、最後はその独善をも否定して念仏にゆだねるドラマを描く。

並びに所々の怪異、四天王寺金堂顚倒の事」に「山崩れて谷を埋み、海傾いて陸地となりしかば」と引かれるように、後世に影響をおよぼしており、災害描写の定型をなしていることがわかる。

そもそも『方丈記』の「記」は、本来、漢文学の正式の文体による述作を意味し、それゆえ年月・場所を明記する署名が末尾に添えられる（しかも俗名の鴨長明ではなく、僧名の「蓮胤」）。漢文訓読体は漢文体に準ずる意義をもつ。このような『方丈記』をエッセイのごとき随筆とみるのは近代以降の誤謬にほかならない。『枕草子』や『徒然草』とは根本的にテクストのありかたが相違する。そもそも「方丈」は大乗経典を代表する『維摩経』の主人物・維摩居士（ゆいまこじ）のいる場所であり、「方丈」といえば維摩を連想するのが常識であった。人と住居の無常をふかく認識し、構成・文体ともに緊張度の高い仮構性が強く、五大災厄から逃れ、閑居の愉楽をいったんは謳歌するものの、「心」のよりどころをどこにもとめるか自問自答し、その閑居への執着をも否定し、最後は阿弥陀仏に帰依して念仏を唱えるところで完結する。まさに一篇の宗教文芸といえる。とくに前半の五大災厄にとどまらず、後半の閑居の描写は自然環境と社会環境の融和をはかる点でも着目され、全体を傑出した〈環境文学〉とみなすこともできよう（閑居の愉楽の描写も実体験ではなく、四季のうつろいをはじめ、かなり加工されたものである）。

ちなみに近世の一七世紀には、『方丈記』のパロディ『犬方丈記』が刊行される（天和二年・一六八二）。文字どおり『方丈記』の文章をなぞってまぜかえす仮名草子のパロディにはちがいないが、同時に当時の飢饉の状況をもとらえており、飢饉における救済がさらなるテーマにもなっている。古典を洒落のめすだけの作ではない、もうひとつの〈災害文

『太平記』
一四世紀の鎌倉幕府の滅亡から建武の新政、室町幕府の成立、観応の擾乱等々、天皇が南朝・北朝に分かれて覇権を競い、武家や寺社がさまざまに抗争をくり返し、全国的な戦乱におよんだ南北朝の内乱という激動の時代を描いた一大歴史叙述。後醍醐帝や楠木正成、高師直、佐々木道誉ら群像が刻印され、太平記読みといわれる講釈師によって語られて流布、後世の政治や文化に大きな影響をおよぼした。

『維摩経』
博学篤信で知られる維摩居士が方丈の庵で病床に伏し、釈迦が見舞いに文殊を派遣し、維摩と文殊のやりとりで展開。維摩の病は方便であり、いっさいを固定した相でとらえることを否定し、すべての執着を捨てさった清浄質直（しょうじょうしちじき）の心に住すべきことをさとす。大乗仏教の

学〉となっていることに着目すべきである。

さらに同じ鴨長明の編『発心集』巻四には、武蔵の入間川の洪水の話がある。五月雨の出水で村の長が家ごと流され、河口で妻子を見捨てて水に飛びこみ、必死で泳いで葦に取りすがって奇跡的に助かる話。洪水をテーマとする災害文学として見逃せない短編である。当人の一人称的な体験談の体裁をとるが、その語り口はやはり全知的な視座を獲得し、すでに当事者に乗りうつり、状況を対象化して距離をおいて語る語り手が介在している。

同じことは、『今昔物語集』巻二六第三話の美濃の因幡河の洪水譚でもいえる。河の氾濫で家ごと流され、家族は天井にあがって煮炊きするうち、今度は風にあおられた火が燃えひろがって家族は焼死、少年だけ河に飛びこんで流されるまま木の枝につかまって助かるが、翌朝、水が引いてみると、なんと断崖絶壁につきでた木の枝だった。村人たちが下で網を張って待ちかまえ、そこへ飛びおりてようやく助かったという。水難、火難、空難と立てつづけに息をもつかせぬ展開で読者を引きつける。あたかもテレビの実況中継を見ているかのごとき語りで、当事者を離れた次元での物語化がすすんでおり、語り手は全知的視座にある。

このようにみると、一次的伝承を伝えうる聞書きはべつとして、一篇の述作としてまとまった説話集レベルのテクストにおいても、すでに当事者の語りは消えており、かなり距離の離れた視座から物語化されていたことがあきらかになる。当事者の語りからどれくらいの時空間の差異や隔絶があるか、もはや解明することはかなわないだろう。〈災害文学〉の位相が問われるゆえんである。

いっぽう、漢文体や漢文訓読体にかぎらず、和文体の象徴ともいえる『源氏物語』にお

精粋を説く経典。最後の維摩の黙然を『方丈記』はふまえるとされる。

『発心集』　鴨長明、最晩年の編とされる仏教説話集。仏道や悟りにいたる心のありかたや人の生きかたの根源を追究した作として重要。入水の刹那に迷いが生じて往生できずに魔界に墜ちる聖人、夫を娘に譲って出家するが煩悩を消せず指先が蛇になる尼など出家遁世のありようや人間存在の宿業をとらえた印象ぶかい説話が多く、後世の仏教説話集に大きな影響をあたえた。

図１　『江戸大地震之図』（東京大学史料編纂所蔵）より。地震による家屋倒壊と火災発生の場面

ける災害描写も見逃せない。周知の「須磨」巻、光源氏が須磨に退隠し、三月に陰陽師が祓えをおこなったあと、突如嵐がおそう。「肘笠雨（ひじかさあめ）」がふり、「海の面は、衾（ふすま）を張りたらむやうに光り満ちて、雷鳴りひらめく」。高潮がおそい、源氏は夢見にみずから海龍王に魅いられたかとさえ思う。三月なので台風ではなく、前線の影響によるものか、暴風雨、津波の被害にあう。

そのまたの日の暁より風いみじう吹き、潮高う満ちて、浪の音荒きこと、巌も山も残るまじきけしきなり。雷の鳴りひらめくさま、さらに言はむ方なくて、落ちかかりぬとおぼゆるに、

夢に亡父桐壺の帝があらわれ、都も天候が荒れていて、「物のさとし」とされ、朱雀帝にも夢に桐壺帝があらわれ、にらみつけられて以後、眼病をわずらう。「さとし」は前兆、なにかの前触れを意味する。石井正巳説では、この段に洪水神話を読みとっており、卓説といえる。[7] 光源氏は明石入道の庇護を

得て須磨から明石に移住、娘の明石姫といっしょになり、女子が生まれ、都にもどって姫と娘を引きとるが、この娘が後に皇后となり、光源氏は栄華をきわめることになる。典型的な貴種流離譚であるが、ここの須磨の暴風や津波が大きな意味をもち、いっさいを一度ご破算にして再生する。世界が崩壊、終焉をむかえ、再生、復活を果たす一種の洪水神話の祖型が読みとれて興味ぶかい。物語の軸に災害が大きくかかわっており、嵐の描写もすぐれたものとなっている。〈災害文学〉は〈気象文学〉でもあることがよくわかる。

時代は幕末にくだって、安政二年（一八五五）の一〇月二日午後一〇時ころ、関東地方南部でマグニチュード七クラスの地震がおきた。世にいう安政の大地震で、前年にも大きな地震があった。震源は荒川河口の直下型地震で、倒壊家屋は二万、死者は一万人余とされる。幕府は五か所に救小屋を設置して被災者を収容し、大名には帰国を認め、貸付金の返済延期、旗本・御家人には貸金などの応急措置をほどこした。地震直後から、焼失地域を示す一枚摺を

救小屋
被災者救済のための施設。

はじめ、地震にかんする錦絵類の版行が多く、とくに鯰を擬人化した「鯰絵」が有名で、震災により巨利を得た大工、左官や材木商などを諷刺し、当時の世相を表している。

ここで震災の惨状を描いた東京大学史料編纂所蔵『江戸大地震之図』（前ページ図1）、およびチェスタービーティ・ライブラリー蔵『安政大地震災禍図巻』に注目すると[8]、冒頭は市街の繁栄ぶりが描かれ、それが夜のとばりがおりたと思うや一転して大地震の悲惨なようすが克明に再現される。そして幕府の救小屋をはじめ、復興に立ちあがる人びとのようすが描かれ、最後は富士の遠景で終わる。富士が復興と安泰を象徴する予祝（とくに幕府の体制）となっている。これもまた、高い視点から俯瞰する描写で、市井のようすを細部にわたって描き分ける、〈神〉の視点を担う。災害図巻は復興図巻でもあり、絵巻はその変転を全知的な視点から描きつくす絶好の媒体であった。

以上、かけ足で〈災害文学史〉のための見取り図の素案のようなものを提起してみた。さらなる詳細な検証を持続できればと思う。

〈参考文献〉

(1) 峰岸純夫『中世災害・戦乱の社会史』（二〇〇一）吉川弘文館　二〇一一年
(2) 北原糸子編『日本災害史』吉川弘文館　二〇〇六年
(3) 藤木久志編『日本中世気象災害史年表稿』高志書院　二〇〇七年
(4) 保立道久『歴史のなかの大地動乱　奈良・平安の地震と天皇』岩波書店　二〇一二年
(5) 三田村雅子・河添房江編『天変地異と源氏物語』翰林書房　二〇一三年
(6) 李朝軍『宋代災害文学研究』中国社会科学出版社　二〇一七年
(7) 石井正己・錦仁編『文学研究の窓をあける　物語・説話・軍記・和歌』笠間書院　二〇一八年
(8) 植野かおり「地震絵巻に見る時空間表現と視覚効果　「江戸大地震之図」と「安政大地震災禍図巻」の比較」『東京大学史料編纂所研究紀要』23号　二〇一三年

鯰絵

安政地震の直後から、地震のもとが鯰とされていた伝承から、鯰を擬人化して災害のようすを伝えたり、災害がもとで成金になった商売人や職人らを諷刺したり、世直しへの期待をこめた一枚もので多色刷りの錦絵が大流行した。これを「鯰絵」と呼んだ。日本では忘れられていたが、スイスの文化人類学者アウエ・ハントの研究が紹介されて一躍注目されるようになった。

『江戸大地震之図』

安政大地震のようすを描いた絵巻で、東京大学史料編纂所所蔵本とダブリンのチェスタービーティー・ライブラリー所蔵本（『安政大地震災禍図巻』）が知られる。双方は担い手はべつだが画面などおおもとは共通する。江戸の市街の繁栄ぶりから一転して地震による倒壊と火災による災害、ついで救済支援から家々の普請のさまが描かれ、最後は富士を描く図巻で、薩摩の島津家がかかわるとされる。安政大地震の災害と復興をうかがう貴重な作である。

小峯和明（こみね・かずあき）

一九四七年、静岡県生まれ。若いころ、岩手の早池峰山に登り、下山したらちょうど山伏神楽をやっていた。同じ宿で宮沢賢治の教え子に遭遇。遠野にもいったが、バスがストライキでどこもいけず、意味もなく周辺を歩いた。物語の舞台、現地をできるだけ探訪するようにしている。

＊　＊　＊

■わたしの研究に衝撃をあたえた一冊『十二支考』（上・下）

博引傍証まさに内外の文献資料ばかりか身近な話題をもこき混ぜ、文字どおり渉猟した、めくるめく知と学の饗宴、その言語宇宙に魅せられた。

南方熊楠著
岩波文庫
一九九四年（平凡社版『全集』第一巻、一九七一年）

あとがき

赤坂憲雄

この「フィールド科学の入口」と題したシリーズに、文学にかかわる研究を摂りこむことはできないか。シリーズの企画が生まれた最初の段階から、わたしのなかには曖昧なかたちであれ、たしかにそうした問いは存在したかと思う。とはいえ、文学研究がかならずフィールドワークを必要とするとは思われず、むしろフィールドワークを斥ける研究者のほうが多数派ではないかとも感じていた。民俗学者の端くれであるわたしにとっては、旅や聞き書きといった方法はアイデンティティの一部であり、だから、わたしは国木田独歩の「武蔵野」というテクストを読むときには、当然のようにその舞台の土地を訪ねることから始めた（『武蔵野をよむ』岩波新書）。その頃、わたしは野田研一さんの著書と出会い、いつしか環境人文学と呼ばれている一群の研究のかたわらに辿り着くことになった。

また、東日本大震災のあと、わたしは文学の言葉について、その帯びる力について考えることが多くなった。政治や経済の言葉が荒くすさんでゆき、科学の言葉が届かないらしい繊細な領域がむきだしになるのを、呆然と見つめていた。そんなとき、小説や詩の言葉がいかにも頼りなげに、しかしひたむきに、見えないモノたちのうごめく世界と向かいあおうとしていることに気づいた。わたし自身の文脈でいえば、被災地のそこかしこで遭遇した、生きることや食べることをめぐって、人間とほかの生き物とが交わしている対話のようなものに眼を凝らさずにはいられなかったのだ。とはいえ、わたし自身がそうした対話を読み解く方法を持ち合わせていたわけではない。わたしはそれを、環境人文学のもとに集まる研究者たちの試行錯誤のなかにみいだし、学ばせてもらうことになった。

この巻に収められた論考のいくつかは、いまという時代の最先端のあたりに姿を顕わしつつある問題系に触れて、それをじつに繊細な手さばきをもって浮き彫りにしようとしている。環境と名づけられている領野に向けて、文学テクストをフィールドから読みなおしながら接近してゆこうとしている。そこには、おそらく避けがたい方法的な必然があり、さまざまな可能性が埋もれているはずだ。結城正美さんの「エコクリティシズムの舞踏環境文学というフィールドで」と題された論考には、たとえば「口承文芸の呪術性」や「荒野との愛の行為」といった、わたし自身の奥底にある問いを揺らす言葉があった。

それにしても、野田さんや結城さんをはじめとして、幾人もの研究者が石牟礼道子さんの小説テクストに惹き寄せられていることには、深い必然を感じさせられる。石牟礼さんの『苦海浄土』は、環境文学にとって「聖典」のような意味合いを持たざるをえないのかもしれない、とも思う。まったく唐突に、福島ははたして、もうひとつの『苦海浄土』を産み落とすことができるのか、と問いかけずにはいられない。

この時代はいま、「動物」「記憶」「交感」「風景」といった言葉の周辺で、ある根源的な知の組み替えを強いられているにちがいない。環境文学や環境人文学に連なる研究者たちが、「人間的なるものを超えた地点から人間を考えてみる」（奥野克巳「生ある未来に向け、パースペクティヴを往還せよ」）という欲望を共有しているのは、そのためだ。「環境」を冠した名づけにもどかしさを覚えるほどに、何かが始まろうとしている胎動は、たしかなものに感じられる。

■編者紹介

野田研一（のだ・けんいち）

専門はアメリカ文学、環境文学。立教大学名誉教授。三〇年以上前、マサチューセッツ州にある標高わずか三〇〇メートルほどの低山をさがしまわった。わたしのフィールドワーク的出発点だろう。この山はアメリカ合衆国最初の観光地とされる。アメリカ風景画史における最高傑作が生まれた景観の場でもある。一五〇年後のいま、この地はなかば忘れさられてはいる。しかし、そこに立てばその地域の〈場所の感覚〉（sense of place）を一部追体験することができる。我が聖地。

■わたしの研究に衝撃をあたえた一冊『逝きし世の面影』

かつて日本を訪問した外国人、おもにヨーロッパ系の人びとが目撃し、記録した日本の姿を丹念にほりおこした名著。そこに浮かびあがる日本の「逝きし世」（近代以前）がなんと美しいことか。オリエンタリズム批判と植民地主義批判がかまびすしい時代に、著者は独り抵抗した。オリエンタリズム批判もまたイデオロギーにすぎないと。過去二〇年のあいだ、これほど涙した本はほかにはない。

渡辺京二著
平凡社
二〇〇五年

＊　＊

赤坂憲雄（あかさか・のりお）

わたしはとても中途半端なフィールドワーカーだ。そもそも、どこで訓練を受けたわけでもない。学生のころから、小さな旅はくりかえしていたが、調査といったものとは無縁であった。三十代のなかば、柳田國男論の連載のために、柳田にゆかりの深い土地を訪ねる旅をはじめた。それから数年後に、東京から東北へと拠点を移し、聞き書きのための野辺歩きへと踏み出すことになった。おじいちゃん・おばあちゃんの人生を分けてもらう旅であったか、と思う。

■わたしの研究に衝撃をあたえた一冊『忘れられた日本人』

一冊だけあげるのは不可能だが、無理にであれば、宮本常一の『忘れられた日本人』だろうか。宮本の〈あるく・みる・きく〉ための旅は独特なもので、真似などできるはずもなく、ただ憧れとコンプレックスをいだくばかりだった。民俗学のフィールドは、いわば消滅とひきかえに発見されたようなものであり、民俗の研究者たちはどこかで、みずからが生まれてくるのが遅かったことを呪わしく感じている。民俗学はつねに黄昏を生きてきたのかもしれない。

宮本常一著
岩波文庫
一九八四年（未來社、一九六〇年）

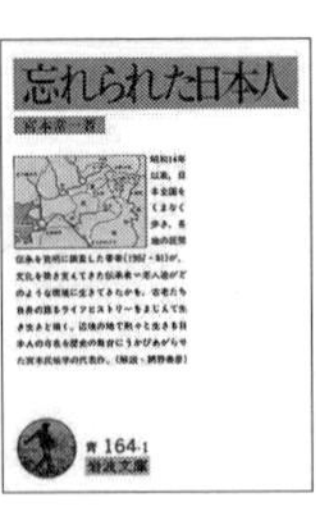

フィールド科学の入口
文学の環境を探る

2020年5月25日　初版第1刷発行

編　者――――野田研一　赤坂憲雄

発行者――――小原芳明

発行所――――玉川大学出版部

〒194-8610　東京都町田市玉川学園6-1-1
TEL 042-739-8935　FAX 042-739-8940
http://www.tamagawa.jp/up/
振替：00180-7-26665

印刷・製本――モリモト印刷株式会社

乱丁・落丁本はお取り替えいたします。

ISBN978-4-472-18207-5 C0090 / NDC902

装画：菅沼満子
装丁：オーノリュウスケ（Factory701）
協力：中山義幸（Studio GICO）
編集・制作：株式会社本作り空Sola　http://sola.mon.macserver.jp

フィールド科学の入口

フィールドから見える「知の新しい地平」とは？
フィールドワークから生き生きとした科学の姿を伝える

赤坂憲雄ほか編　全10巻

暮らしの伝承知を探る

野本寛一・赤坂憲雄 編

【Ⅰ部 対談】**野本寛一・赤坂憲雄**「無手勝流フィールドワーク」
【Ⅱ部】**小川直之**「神樹見聞録　フィールドワークから見えてくること」／**川島秀一**「オカボラ奮闘記　沿岸をあるく喜び」
【Ⅲ部】**柴田昌平**「映像によるフィールドワークの魅力　『クニ子おばばと不思議の森』を手がかりに」／**北尾浩一**「暮らしから生まれた星の伝承知」／**宮本八惠子**「モノを知り、人を追い、暮らしを探る」／**山﨑彩香**「在来作物とフィールドワーク」／**鈴木正崇**「南インド・ケーララ州の祭祀演劇　クーリヤーッタム」

自然景観の成り立ちを探る

小泉武栄・赤坂憲雄 編

【Ⅰ部 対談】**小泉武栄・赤坂憲雄**「『ジオエコロジー』の目で見る」
【Ⅱ部】**岩田修二**「中国、天山山脈ウルプト氷河での氷河地形調査」／**平川一臣**「津波堆積物を、歩いて、観て、考える」
【Ⅲ部】**清水善和**「小笠原の外来種をめぐる取り組み」／**松田磐余**「地震時の揺れやすさを解析する」／**山室真澄**「自然はわたしの実験室　宍道湖淡水化と『ヤマトシジミ』」／**清水長正**「風穴をさぐる」／**菅　浩伸**「サンゴ礁景観の成り立ちを探る」

イネの歴史を探る

佐藤洋一郎・赤坂憲雄 編

【Ⅰ部 対談】**佐藤洋一郎・赤坂憲雄**「野生イネとの邂逅」
【Ⅱ部】**石川隆二**「国境を越えて　イネをめぐるフィールド研究」／**佐藤雅志**「栽培イネと稲作文化」
【Ⅲ部】**宇田津徹朗**「イネの細胞の化石（プラント・オパール）から水田稲作の歴史を探る」／**山口　聡**「『中尾』流フィールドワーク虎の巻」／**ドリアン・Q・フラー**「植物考古学からみた栽培イネの起源」／**田中克典**「イネ種子の形状とDNAの分析　その取り組みと問題点」

遺跡・遺物の語りを探る

小林達雄・赤坂憲雄 編

【Ⅰ部 対談】**小林達雄・赤坂憲雄**「『人間学』としての考古学の再編」
【Ⅱ部】**大工原　豊**「縄文ランドスケープ　縄文人の視線の先を追う」／**中村耕作**「釣手土器を追う」
【Ⅲ部】**佐藤雅一**「遺跡を探して守り、研究する」／**七田忠昭**「吉野ヶ里遺跡を探る」／**大竹幸恵**「黒曜石の流通にみる共生の知恵」／**葛西　勵**「環状列石（ストーン・サークル）を求めて」／**新東晃一**「火山爆発と人びとの祈り」

海の底深くを探る

白山義久・赤坂憲雄 編

【Ⅰ部 対談】**白山義久・赤坂憲雄**「深海の星空の可能性」
【Ⅱ部】**藤倉克則**「深海生物研究のフィールドワーク」／**柳　哲雄**「海の水の流れの計測」
【Ⅲ部】**蒲生俊敬**「インド洋の深海に海底温泉を求めて」／**青山　潤**「ニホンウナギの大回遊を追いかける」／**木川栄一**「南鳥島周辺のレアアース泥を調査する」／**阿部なつ江・末廣　潔**「マントル到達に挑む」／**蓮本浩志**「観測を支援する技術」

人間の営みを探る

秋道智彌・赤坂憲雄 編

【Ⅰ部 対談】**秋道智彌・赤坂憲雄**「『コモンズ＝入会（いりあい）』の可能性と未来を探る」
【Ⅱ部】**小長谷有紀・秋山知宏**「オアシスプ

フィールド科学の入口

ロジェクト調査記録 砂漠に生きるモンゴル人の水利用を探る」／**赤嶺 淳**「ナマコとともに モノ研究とヒト研究の共鳴をめざして」

【Ⅲ部】安渓遊地「西表島の廃村ですごした日々 わたしのはじめてのフィールドワーク」／**桑子敏雄**「佐渡島の自然保全活動 地域の"対立"をこえるフィールドワーク」／**白川千尋**「オセアニアでの医療人類学調査」／**池口明子**「人間の営みを学際的に探る 貝類採集からみる干潟の漁撈文化」／**蒋 宏偉**「ラオス水田耕作民の『のぐそ』を追う」

食の文化を探る

石毛直道・赤坂憲雄編

【Ⅰ部 対談】石毛直道・赤坂憲雄「料理と共食、食卓というフィールドで」

【Ⅱ部】森枝卓士「食のフィールドワークとその記録術」／**原田信男**「食の生産と消費をめぐるフィールドワーク」

【Ⅲ部】辻 大和「海の幸を利用するサルたち」／**守屋亜記子**「韓国の高齢者の食」／**マリア・ヨトヴァ**「『ヨーグルト大国』ブルガリアをフィールドワークする」／**阿良田麻里子**「生活文化としての食、言語からみる食」／**山本紀夫**「インカの末裔たちは何を食べているのか」

文学の環境を探る

野田研一・赤坂憲雄 編

【Ⅰ部 対談】野田研一・赤坂憲雄「『環境人文学』とは」

【Ⅱ部】結城正美「エコクリティシズムの舞踏 環境文学というフィールドで」／**波戸岡景太**「アウシュヴィッツのあとに『ニッポニアニッポン』を読むこと 欧州から佐渡島にいたる文学と動物のフィールドワーク」

【Ⅲ部】小谷一明「凡庸なる風景 反トポス的なフィールドワークのために」／**奥野克巳**「生ある未来に向け、パースペクティヴを往還せよ」／**山田悠介**「交感論の展開と現在の視座 『他者』と『近代』へのまなざし」／**中川僚子**「被爆体験の継承のかたち カズオ・イシグロ『わたしを離さないで』を手がかりに」／**小峯和明**「〈災害文学史〉の構築をめざして 〈環境文学〉論の道程」

創造する都市を探る

佐々木雅幸・赤坂憲雄 編

【Ⅰ部 対談】佐々木雅幸・赤坂憲雄「地域の内発的発展から創造都市へ」

【Ⅱ部】川井田祥子「障害者と芸術表現」／**敷田麻実**「観光としてのフィールドワーク」

【Ⅲ部】萩原雅也「創造都市・農村のためのフィールドワークへの誘い 見えない都市へ」／**松岡希代子**「わがまち ボローニャ」／**本田洋一**「食文化をいかした創造農村の形成 鶴岡市の挑戦」／**竹谷多賀子**「『沖縄のこころ』と『サスティナブル・ソサエティ（維持可能な社会）』の実現」

災害とアートを探る

赤坂憲雄 編

【Ⅰ部 対談】北原糸子・赤坂憲雄「災害の社会史」

【Ⅱ部】港 千尋「風景と時間 リサーチからレガシーへ」／**川延安直**「福島県立博物館の試み 東日本大震災八年目の春にふり返る」

【Ⅲ部】新井 卓「耳を澄ます未来の物語 〈当事者〉と〈非当事者〉を超えて」／**山内宏泰**「記憶の回収と修復から、表現の創出へ」／**藤井 光**「核と物」／**小林めぐみ**「博物館×アートプロジェクト 大災害・大事故に博物館がむきあう方法」

〈本シリーズの特色〉

●実際に現地を訪れ、対象を直接観察（聞き取りなどをふくむ）し、史料・資料を採取する客観的調査方法である「フィールドワーク」。民俗学、農学、自然地理学、考古学、生物学、文化人類学など、「フィールド科学」諸学問とその方法をあきらかにする。

●学問の専門化・細分化がすすむなか、各領域が有機的なつながりをもっていることを伝える。科学は単独で成立するものではなく、相関しあっていることを示す。

●各領域の調査・研究のトピックが満載。人間の足跡や自然の足跡を探るフィールドワークのおもしろさを伝え、読者の知的好奇心・行動を呼びおこす。

●写真や図版、脚注を多く掲載し、わかりやすい内容。各執筆者による「わたしの研究に衝撃をあたえた一冊」なども紹介。フィールドワーカーの「姿」をとおして、研究内容への興味・関心を深める。

Ａ５判・並製 各約２４０頁
本体 各２４００円